Grado elemental

Mi método

Teoría musical

impromptu

© Edición autorizada para todos los paises a:

IMPROMPTU EDITORES, S.L.
C/. Alqueria de Raga, 9 - 46210 Picanya (España)
email: info@impromptueditores.com
www.impromptueditores.com

© *Autores:* Consuelo Martínez
　　　　　　Andrea Casany
　　　　　　Rubén Manzana
　　　　　　José Vicente Sancho
　　　　　　Cecilia Taberner
　　　　　　Consuelo González

Ilustración: Antonio García Valledor

Comunicación: Ideas Estratégicas de Marketing SL

Grabación estudio: Rubén Climent

I.S.B.N.: 978-84-15972-93-8 (*Obra completa*)

I.S.B.N.: 1ª Ed. 1ª Imp.- 978-84-15972-90-7 (2017)
　　　　　1ª Ed. 2ª Imp.- 978-84-15972-90-7 (2019)

Depósito Legal: V-1162-2017

Imprime: ✿ gràfiques **vimar**
　　　　　　www.vimar.es Tel. 96 159 43 30

Prólogo

Bienvenido de nuevo, llegar hasta aquí tiene un gran mérito, como sabes, en este curso finaliza el Grado Elemental y al final del curso tendrás una prueba de acceso a las Enseñanzas Profesionales. Parece algo serio pero lo vamos a hacer sencillo, solo tienes que seguirnos a través de estas páginas.

Hasta ahora hemos profundizado en los aspectos más elementales, esos que además hemos ido incorporando en las piezas del final de cada unidad con la única finalidad de que los repasaras cantando o con el instrumento de tu elección.

En este nuevo curso que comienzas hemos querido modificar el formato con el fin de garantizarte un exitoso final sin variar la estructura.

Para ello hemos separado los libros de ritmo y entonación, el motivo es simple, ambos llevan un repaso de los cursos anteriores y además incorporan elementos nuevos de fácil comprensión. Por otro lado, hemos añadido un nuevo libro, no te asustes, toda la materia incluida en él ya la has estudiado, porque contiene todos los elementos de teoría del Grado Elemental, organizada por bloques con el fin de hacertelo más fácil. Es un simple libro de repaso.

Comprobarás a lo largo de estas páginas la importancia del estudio del ritmo así como de la lectura de claves, todo ello secuenciado de forma progresiva y sobre todo melódica para que te resulte agradable.

Como habrás podido observar, más de la mitad de l@s compañer@s que comenzaron contigo el primer curso han abandonado, si tú has hecho el esfuerzo de llegar hasta aquí, estas preparad@ para afrontar la parte más práctica de la música, pero sobre todo, si decides hacer de la música parte de tus aspiraciones futuras, asentar los conocimientos de este libro te facilitará enormemente la comprensión de la armonía, base fundamental del camino que te queda por recorrer en cursos posteriores.

Al igual que en los cursos precedentes recuerda que es muy importante que no te obsesiones con repetirlo todo insistentemente sino de comprender el porqué de cada nuevo concepto.

Si estás utilizando el material lúdico complementario disponible en tu centro de enseñanza, observarás que cada pieza está basada en los elementos aquí presentados y que, a través de tu instrumento, te harán mucho más ameno el aprendizaje de los mismos.

¿Estás preparado?. Adelante, el curso que viene nos volvemos a ver.

L@s Autor@s.

Índice

Recuerda:

Compases simples denominador 2, 4, 8 y compases compuestos denominador 8
Recuerda el cuadro de los **compases simples** y **compuestos** que conoces hasta ahora.

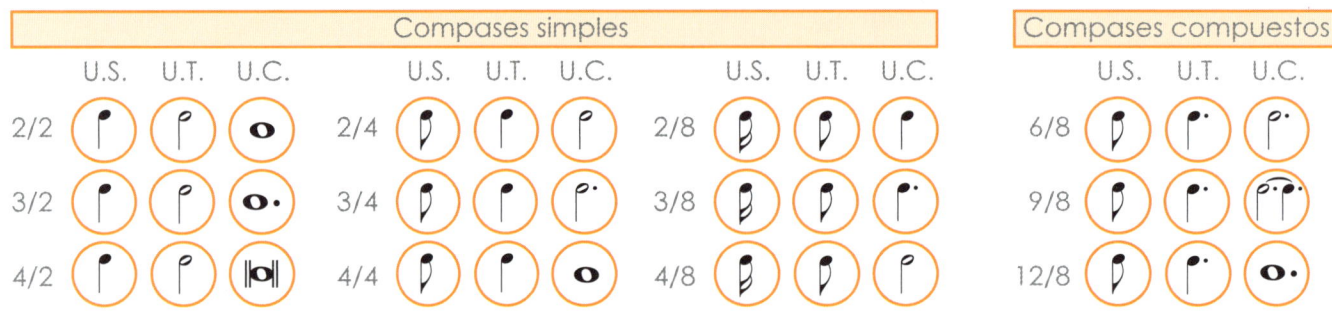

Recuerda:

Equivalencias en compases
Los cambios de compás vienen precedidos de una doble barra y arriba de ésta podemos encontrar las **equivalencias**, indicaciones de metrónomo que nos indican si hay que mantener o no el mismo pulso.

Si el cambio es de un compás simple a otro simple, o de un compás compuesto a otro compuesto se debe mantener siempre el pulso a la misma velocidad.

Si el cambio es de un compás simple a compuesto o viceversa, podemos encontrar estas dos indicaciones.

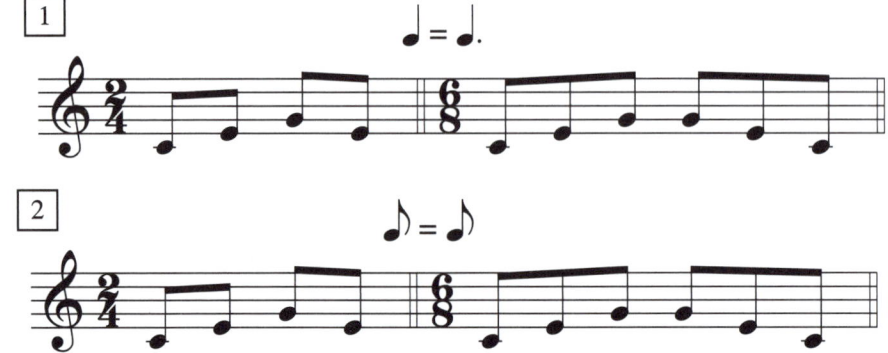

En el primer caso se debe mantener el pulso (unidad de tiempo) a la misma velocidad (es la duración de las figuras lo que varía no el pulso).

En el segundo caso se mantiene la subdivisión a la misma velocidad, por tanto variará el pulso.

Recuerda:

Grupos de valoración especial regulares e irregulares: dosillo, tresillo, cuatrillo y seisillo
Ya sabes que los grupos de valoración especial son los que están formados por un número de figuras mayor o menor que las de su equivalencia real.

También que estos grupos pueden a su vez agruparse en figuras más grandes o desdoblarse en figuras más pequeñas, en este caso se llaman grupos de valoración especial **irregulares**. Recuerda los que conoces hasta ahora:

Regulares	Irregulares

Recuerda:

Son **excedentes** cuando es mayor el número de figuras que el de su equivalencia, y **deficientes** cuando es menor el número de figuras que el de su equivalencia.

Excedentes	Deficientes

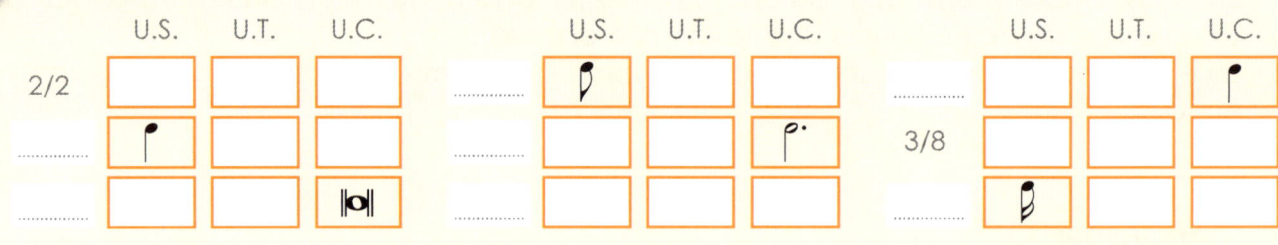

Ejercicios

1 Completa el cuadro de compases simples.

	U.S.	U.T.	U.C.		U.S.	U.T.	U.C.		U.S.	U.T.	U.C.
2/2				....	♩			....			♪
....	♩			....			♩.	3/8			
....			𝅝	....				....	♪		

2 Completa el cuadro de compases compuestos.

	U.S.	U.T.	U.C.
....	♩		
....		♩.	
12/8			

3 Señala Verdadero o Falso:

a. Los cambios de compás vienen precedidos de una doble barra. ☐ V ☐ F

b. Si se produce un cambio de compás simple a compás simple siempre cambia el pulso. ☐ V ☐ F

c. Cuando el cambio de compás es de un compás simple a uno compuesto nunca cambia el pulso. ☐ V ☐ F

d. Las equivalencias se expresan con indicaciones de metrónomo. ☐ V ☐ F

4 Une con una línea los grupos que tengan el mismo valor.

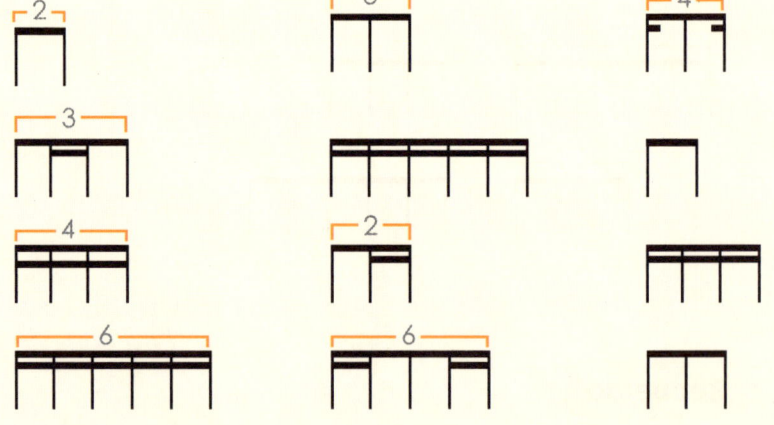

5 Completa el compás con el grupo de valoración especial que se indica.

Recuerda:

Cuadro de intervalos: D, m, M, J y A

Observa el cuadro de intervalos simples:

	D	m	M	J	A
1ª				 Unísono	Cromatismo
2ª					
3ª					
4ª					
5ª					
6ª					
7ª					
8ª					

Como recordarás al ver el cuadro de intervalos, los intervalos de 2ª, 3ª, 6ª y 7ª pueden ser: D, m, M y A, y los de 4ª, 5ª y 8ª: D, J y A. El intervalo de 1ª A es el semitono cromático, el de 1ª Justa es el unísono (en realidad no hay distancia interválica) y la 1ª D no existe, estos intervalos surgen como resultado de la inversión del intervalo de 8ª.

Invertir un intervalo es cambiar el orden de sus sonidos cambiando de 8ª una de sus notas.

Al invertir su clasificación cambia en número y especie.

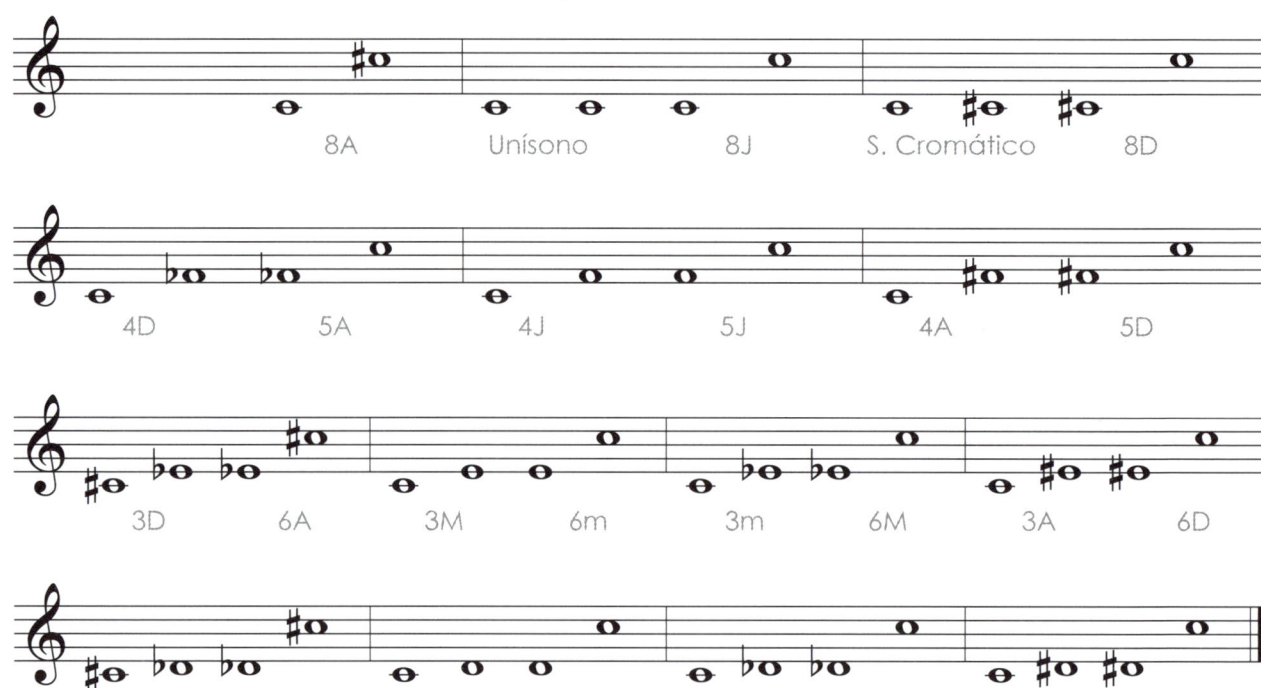

Recuerda:

Tonalidades hasta tres alteraciones en la armadura. Rueda de tonalidades
Todas las tonalidades siguen un orden de 5as Justas ascendentes hacia los sostenidos y de 5as Justas descendentes hacia los bemoles. Aquí tienes la rueda de tonalidades que conoces hasta ahora.

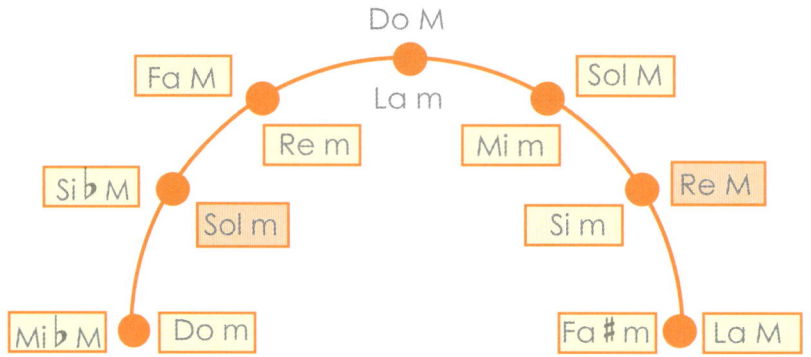

Recuerda:

Modo de hallar la tonalidad. Cuando la armadura está **formada por sostenidos** debes subir una 2ª menor al último sostenido para encontrar la tónica de la tonalidad mayor.

2ªm   Sol M   2ªm   La M

Si está **formada por bemoles** debes subir una 5ª Justa al último bemol para encontrar la tónica de la tonalidad mayor.

5ª J   Fa M   5ª J   La ♭ M

Y para hallar la tónica del modo menor, **tonalidad relativa menor**, hay que bajar en ambos casos una 3ª menor.

Sol M   3ª m   Mi m   Fa M 3ª m   Re m

Si lo que necesitamos es **encontrar la armadura** conociendo la tonalidad mayor debes hacer todo el proceso a la inversa, es decir, bajar una 2ª menor, o bajar una 5ª Justa a la tónica para encontrar el último sostenido o último bemol de su armadura. Sólo tendrás que contar en el orden de alteraciones para saber el número total de éstas.

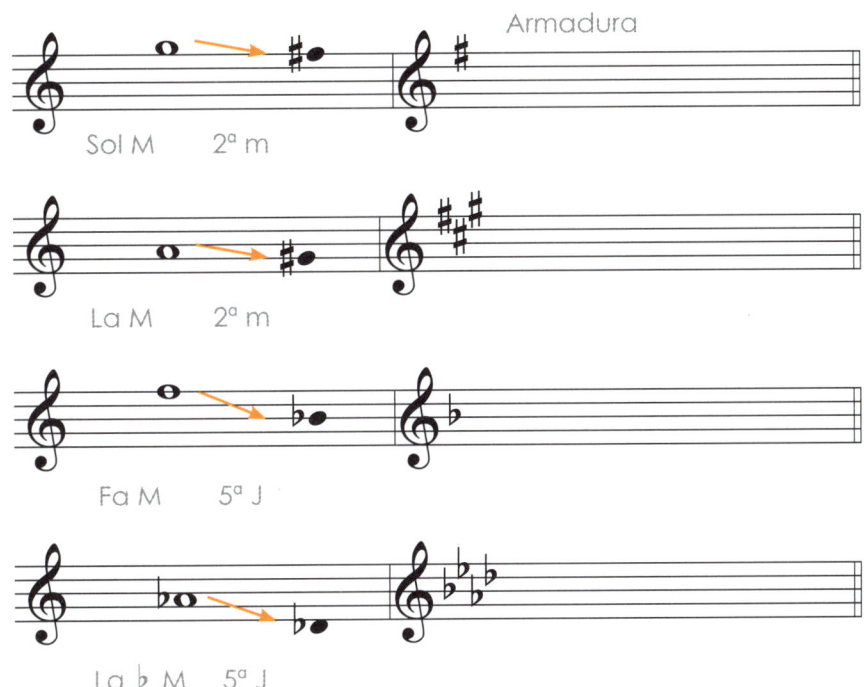

Sol M   2ª m   Armadura

La M   2ª m

Fa M   5ª J

La ♭ M   5ª J

Teoría

Recuerda:

Todas las tonalidades mayores cuyas tónicas no llevan alteración llevan sostenidos en la armadura, excepto Do M que no lleva alteraciones y Fa Mayor que lleva un bemol.

Sabiendo la tonalidad menor encontraremos su **tonalidad relativa mayor** realizando igualmente el proceso a la inversa.

Mi m   3ªm   Sol M   Rem   3ªm   Fa M

Para saber la tonalidad mayor o menor de un fragmento, fíjate en las notas primera y última de la melodía ya que suelen pertenecer al acorde de tónica o en los acordes de inicio y final si es un fragmento polifónico; los giros y reposos coincidirán normalmente con los grados tonales, si es modo menor será fácil reconocer la sensible, etc.

Ejercicios

1 Clasifica e invierte estos intervalos.

2 Forma el intervalo que se indica.

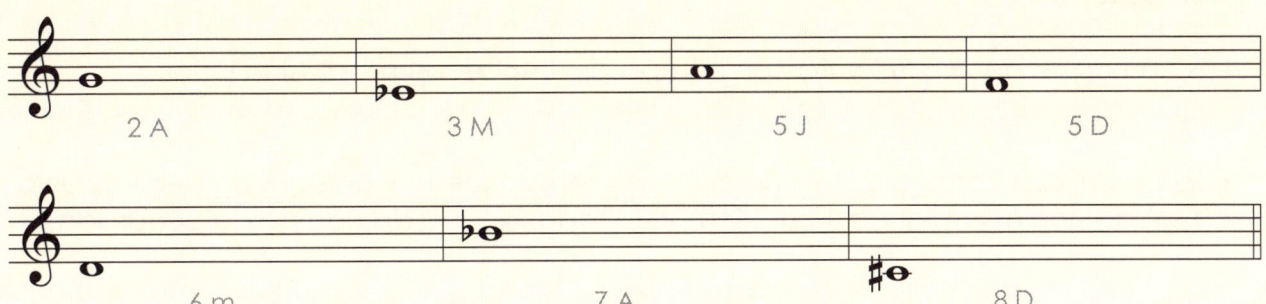

2 A   3 M   5 J   5 D

6 m   7 A   8 D

3 ¿A qué distancia se encuentran las tónicas de las tonalidades relativas?

....

4 Completa el cuadro de tonalidades.

1 ♯	....	....
....	Si ♭ M	....
3 ♭	....	....
....	....	La m
....	La M	....
....	....	Si m
1 ♭	....	....

5 ¿En qué tonalidad está este fragmento? ....

Compases de 2/1, 3/1 y 4/1

Los compases de 2/1, 3/1 y 4/1 son compases **simples**, de subdivisión binaria.

El **2/1** se marca como el 2/4, tiene el primer tiempo fuerte y el segundo débil, su unidad de subdivisión es la blanca, la de tiempo la redonda y la de compás la cuadrada.

U.S. = ♩   U.T. = o   U.C. = ‖o‖

El **3/1** se marca como el 3/4 tiene el primer tiempo fuerte y el segundo y tercero débiles. Su unidad de subdivisión es la blanca, la de tiempo la redonda y la de compás la cuadrada con puntillo.

U.S. = ♩   U.T. = o   U.C. = ‖o‖·

El compás de **4/1** se marca como el 4/4, tiene el primer y tercer tiempo fuertes, el tercero menos que el primero, y el segundo y cuarto débiles. Su unidad de subdivisión es la blanca, la de tiempo la redonda y la de compás la máxima.

U.S. = ♩   U.T. = o   U.C. = ⊟

Con ellos completamos el cuadro de compases simples regulares.

La máxima, la cuadrada y sus silencios. Nota partida

La **máxima** y la **cuadrada o breve** son figuras de nota que se utilizan muy poco en la actualidad. La máxima es una figura que equivale a dos breves o cuatro redondas, y la cuadrada o breve equivale a dos redondas.

⊟ = ‖o‖ ‖o‖ = o o o o

‖o‖ = o o

Sus silencios tienen su misma duración.

Silencio de Máxima   Silencio de Cuadrada

La nota partida es una nota atravesada por una línea divisoria, su valor se reparte entre los dos compases a partes iguales. No se suele utilizar en la actualidad, ya que se puede escribir como dos notas ligadas.

Cuadro de compases simples

Te mostramos el cuadro de los compases simples regulares completo.

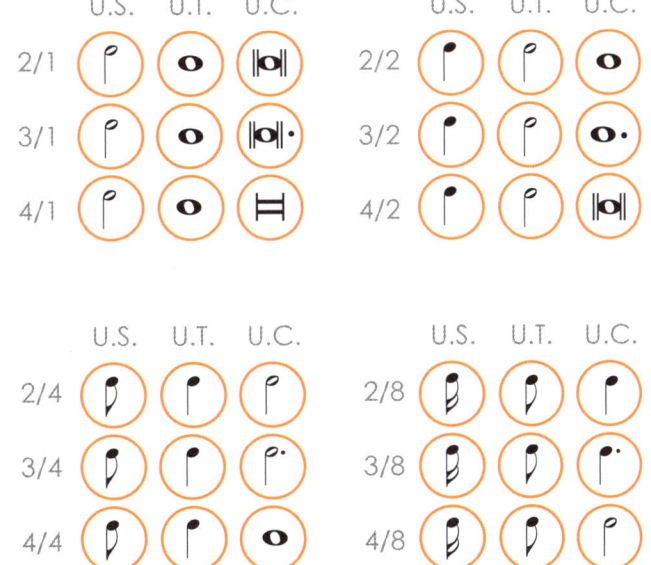

Compás completo de silencio. Repeticiones y abreviaciones

Un compás completo de silencio se indica siempre con el silencio de redonda, sea el compás que sea. Cuando hay varios compases de silencio se abrevian escribiendo una barra y sobre ella el número de compases.

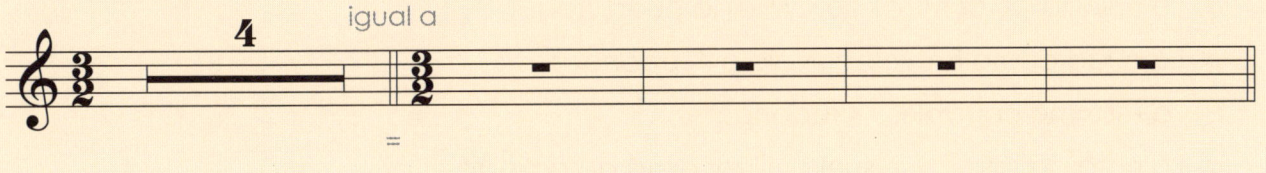

Ejercicios

1 Completa el cuadro de compases simples.

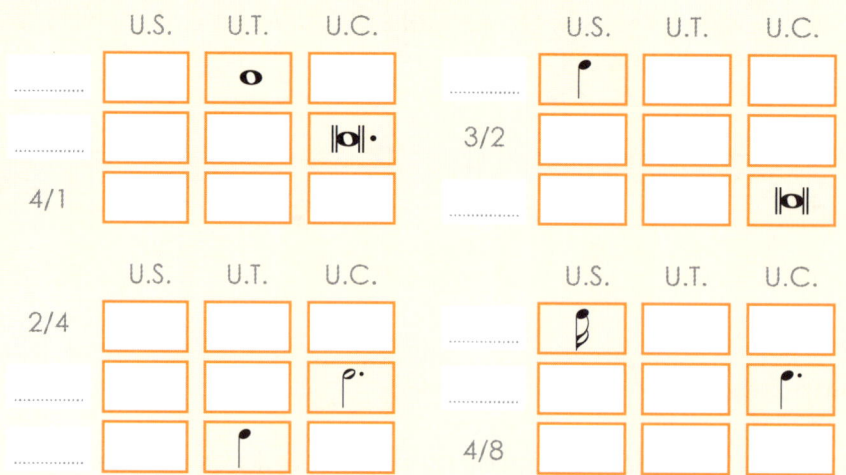

2 Escribe este mismo fragmento en los distintos compases que se proponen.

etc.

3 Señala Verdadero o Falso:

a. Los compases de 2/1, 3/1 y 4/1 son compases de subdivisión ternaria. ☐ V ☐ F

b. La unidad de subdivisión del 3/1 es la blanca. ☐ V ☐ F

c. La unidad de tiempo del 4/1 es la blanca. ☐ V ☐ F

d. La unidad de compás del 2/1 es la cuadrada. ☐ V ☐ F

e. La cuadrada o breve equivale a 4 redondas. ☐ V ☐ F

f. La máxima equivale a 4 redondas. ☐ V ☐ F

g. La nota partida no se suele utilizar en la actualidad. ☐ V ☐ F

h. Un compás completo de silencio se indica siempre con el silencio de redonda. ☐ V ☐ F

Recuerda:

Acordes PM y Pm, 7ª de dominante y 5ª disminuida. Grados de la escala

Vamos a repasar los acordes que conoces:

Acorde PM: Formado por una 3ª M y una 5ª J.

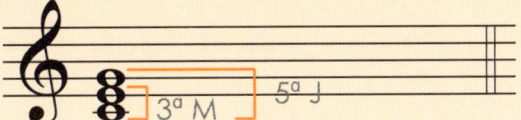

Acorde Pm: Formado por una 3ª m y una 5ª J.

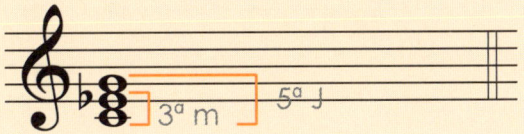

Acorde de 7ª de dominante es el acorde de 4 sonidos formado por una 3ª M, una 5ªJ y una 7ª m. Se forma siempre con las mismas distancias tanto en modo mayor como en modo menor. Recuerda que en el modo menor hay que alterar la 3ª que es la **sensible**.

Este nuevo acorde es el acorde de **5ª disminuida** formado por una 3ª m, y una 5ª D.

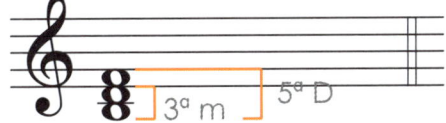

Veamos ahora qué acordes se forman sobre cada uno de los **grados de la escala** mayor. Como ves, los acordes que se forman sobre los grados tonales son **Perfecto Mayores**, el resto son **Perfecto menores** y de 5ª D el que se forma sobre la sensible.

Y éstos son los acordes que se forman en una escala menor.

Escala de Mi M, sus grados tonales y modales. Si escribimos una escala mayor a partir de la nota Mi necesitaremos alterar con un sostenido el Fa, el Do, el Sol y el Re para respetar las distancias de tono y semitono de una escala mayor.

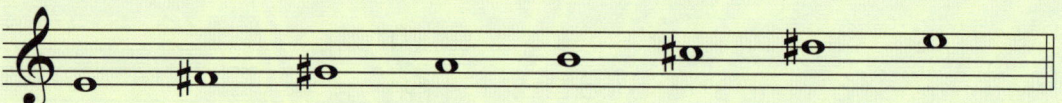

Esta es su armadura:

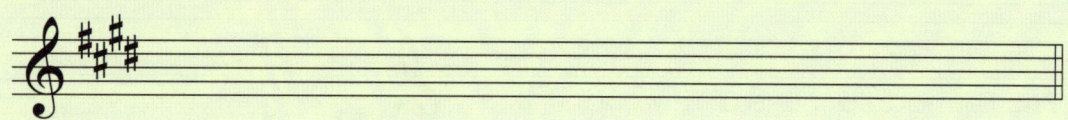

Recuerda:

Grados tonales y modales

Los grados I IV y V son los grados **tonales** de una escala y los grados **modales** son el III, VI y VII, aunque es el III el verdaderamente modal al ser el VI y VII variables.

Aquí tienes los grados tonales

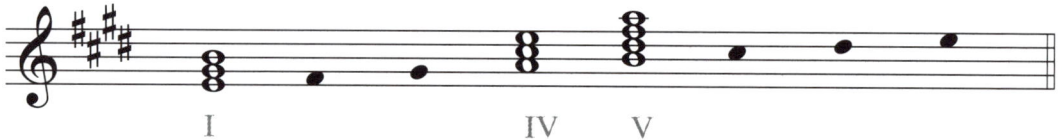

y modales de Mi M

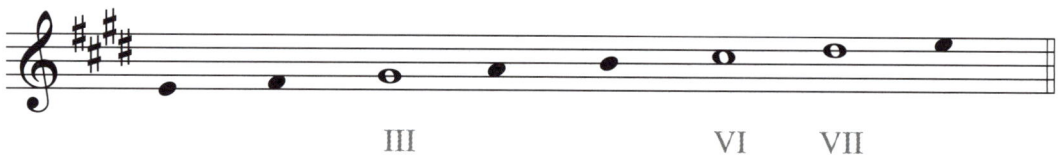

Mi M es la escala **homónima** de Mi m. Observa las diferencias.

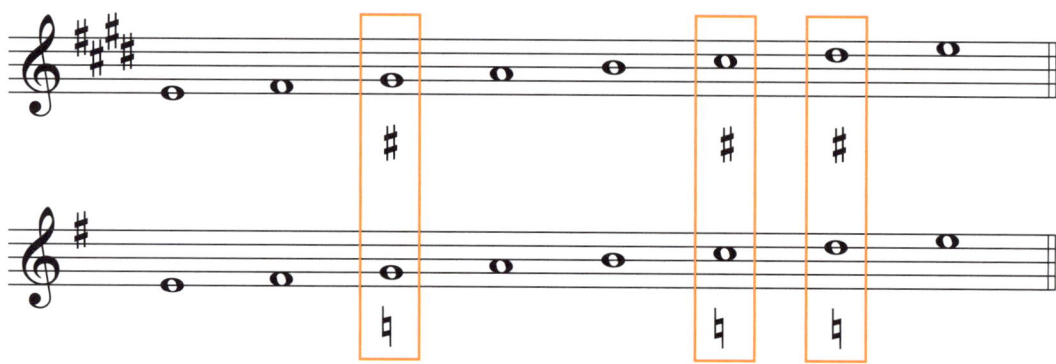

1 Señala el tipo de acorde PM, Pm, 7ª d, o 5ª D.

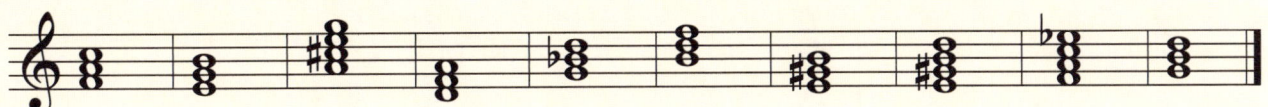

2 Escribe la escala de Mi M y señala sus grados tonales y modales.

3 ¿Qué son escalas homónimas?

....

4 Completa el cuadro de tonalidades homónimas.

Tonalidades homónimas			
TM	Armadura	Tm	Armadura
Do M	....	....	....
....	....	....	1 ♭
....	4 ♯	....	....
Si M	....	....	....
....	....	Sol m	....
....	....	....	♮
....	....	Fa m	....

5 ¿En qué se diferencian dos escalas homónimas?

....

Do en 3ª y Do en 4ª

¿Recuerdas el **endecagrama**?

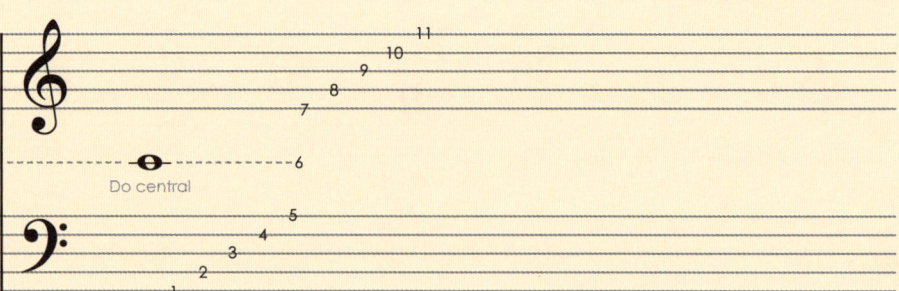

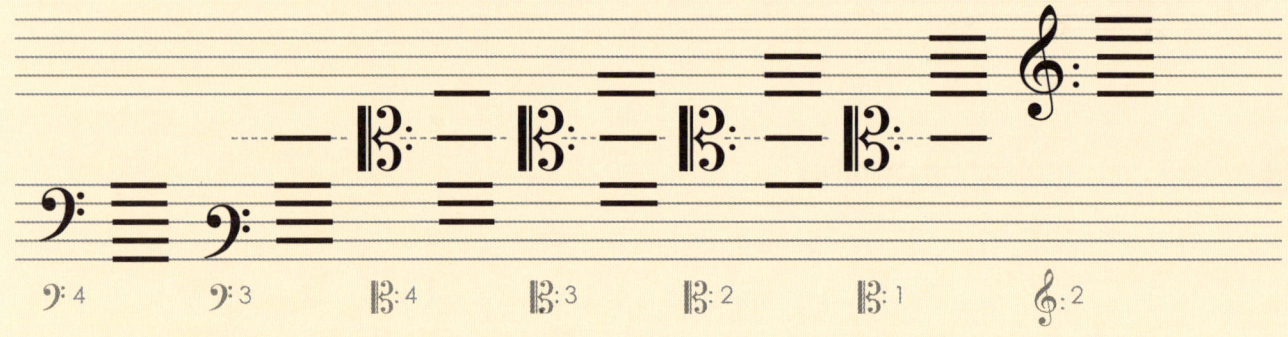

El endecagrama tiene 11 líneas. En las líneas más agudas se escribe en clave de Sol y en las más graves en clave de Fa. La parte central del endecagrama corresponde a las claves de Do y es en realidad el pentagrama que utilizan los pianistas; dos pentagramas unidos por una línea imaginaria que corresponde al Do3.

Fa 2   Do 3   Sol 3

Si leemos en el pentagrama correspondiente a cada clave, el resto de notas necesita líneas adicionales.

La **clave de Do en 3ª** nos indica que la nota Do se escribe en la 3ª línea del pentagrama y corresponde al Do3 y la **clave de Do en 4ª** que la nota Do se escribe en la 4ª línea del pentagrama y corresponde al Do3.

Do 3   Do 3

A partir de estas notas conocemos el nombre de las demás.

| Mi | Fa | Sol | La | Si | Do | Re | Mi | Fa | Sol | La | Si |

| Do | Re | Mi | Fa | Sol | La | Si | Do | Re | Mi | Fa | Sol |

Recuerda:

Intervalo de 2ª y 3ª D, m, M y A

Intervalos de 2ª

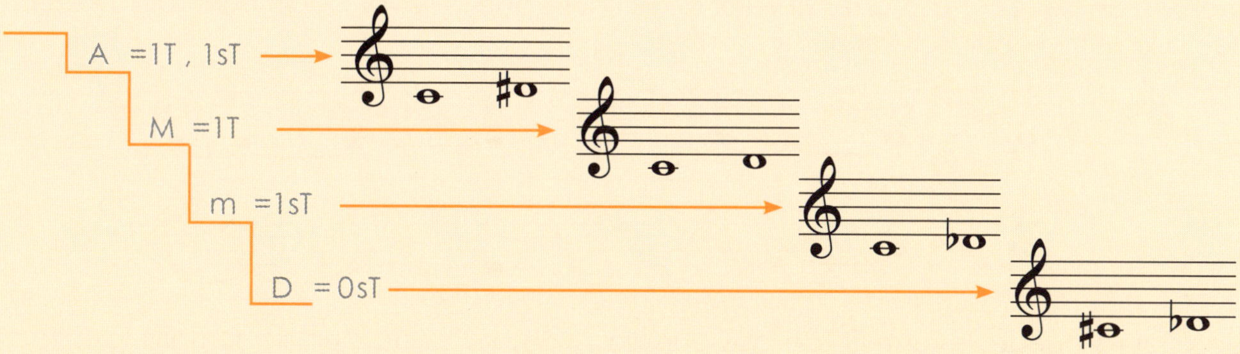

A =1T , 1sT
M =1T
m =1sT
D = 0sT

Intervalos de 3ª

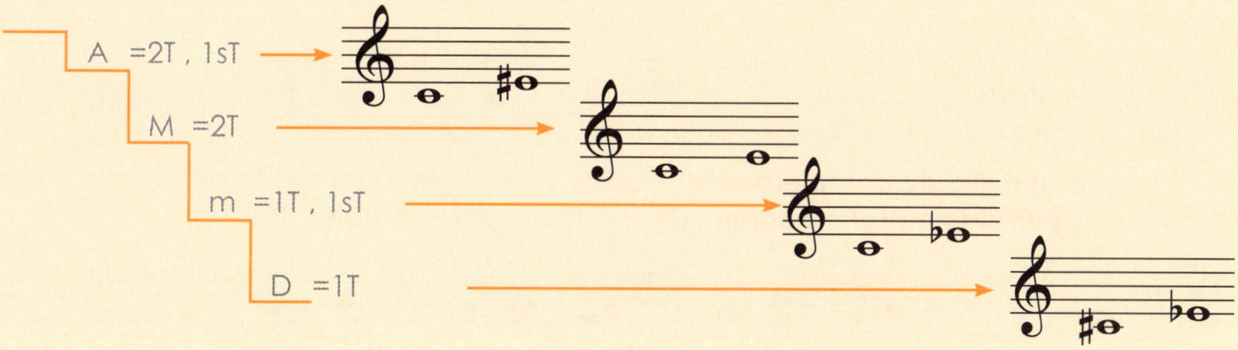

A =2T , 1sT
M =2T
m =1T , 1sT
D =1T

Compases de 6/4, 9/4 y 12/4
Son **compases compuestos** de subdivisión ternaria.

El compás de **6/4** tiene dos tiempos, se marca como el 6/8, el primer tiempo es fuerte y el segundo débil, su unidad de subdivisión es la negra, la de tiempo la blanca con puntillo y la de compás la redonda con puntillo.

U.S. = ♩   U.T. = ♩.   U.C. = 𝅝·

El compás de **9/4** tiene tres tiempos, se marca como el 9/8, el primer tiempo es fuerte y el segundo y tercero débiles, su unidad de subdivisión es la negra, la de tiempo la blanca con puntillo y la de compás la redonda con puntillo ligada a blanca con puntillo.

U.S. = ♩   U.T. = ♩.   U.C. = 𝅝· 𝅗𝅥·

El compás de **12/4** tiene cuatro tiempos, se marca como el 12/8, el primer y tercer tiempo son fuertes y el segundo y cuarto débiles, su unidad de subdivisión es la negra, la de tiempo la blanca con puntillo y la de compás la cuadrada con puntillo.

U.S. = ♩   U.T. = ♩.   U.C. = 𝄻·

Puntillos: doble y triple puntillo. Puntillos de prolongación y de complemento

El **doble puntillo** son dos puntos colocados a la derecha de una nota o silencio, que aumentan en tres cuartas partes el valor de la figura que lo lleva. Cada puntillo aumenta a la figura la mitad del valor del puntillo anterior.

Una figura puede llevar más de dos puntillos, siempre cada puntillo sumará la mitad del valor del anterior. Observa el valor de un **triple puntillo**.

Un puntillo es **puntillo de complemento** cuando con su valor completa un compás o un tiempo, y es **puntillo de prolongación** cuando no llega a completarlo.

1 Señala Verdadero o Falso:

   a. El endecagrama tiene 10 líneas.   ☐ V ☐ F
   b. En las líneas más graves del endecagrama se escribe en clave de Do.   ☐ V ☐ F
   c. El endecagrama es el pentagrama de los pianistas.   ☐ V ☐ F
   d. El Do3 es el que corresponde a la línea central del endecagrama.   ☐ V ☐ F

2 Clasifica e invierte estos intervalos.

3

3 Escribe las alteraciones necesarias.

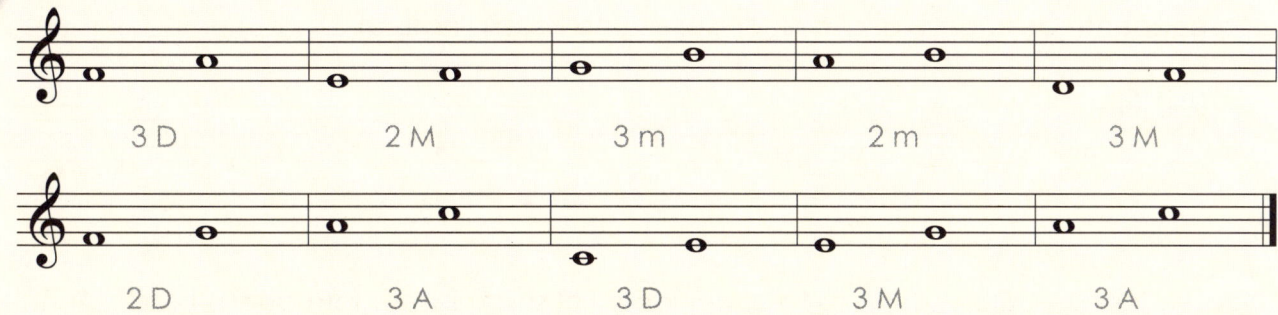

4 Completa el cuadro de compases.

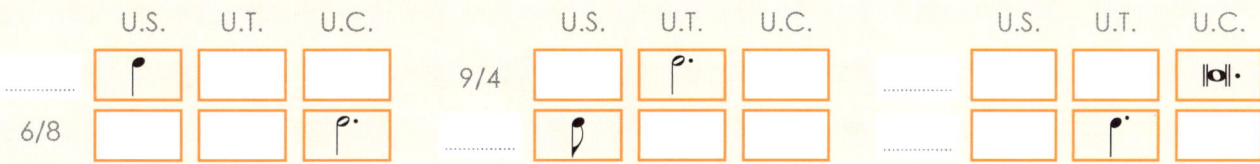

5 Escribe el valor de estos puntillos con notas ligadas.

Escala de Do sostenido menor, sus grados tonales y modales

Si escribimos una escala menor a partir de la nota Do sostenido necesitamos alterar el Fa, el Do, el Sol y el Re con un sostenido para respetar las distancias de tono y semitono de una escala menor.

Esta es la armadura de Do sostenido menor.

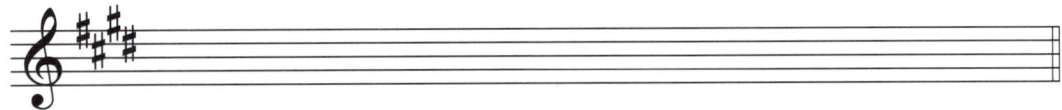

La **escala armónica** se forma subiendo el 7° grado un semitono.

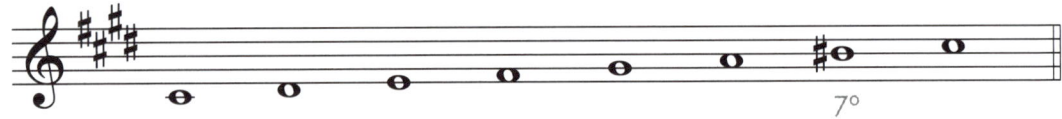

Y la **escala melódica** subiendo el 6° y el 7° grado un semitono, pero solo en el sentido ascendente de la escala, al descender es una escala natural.

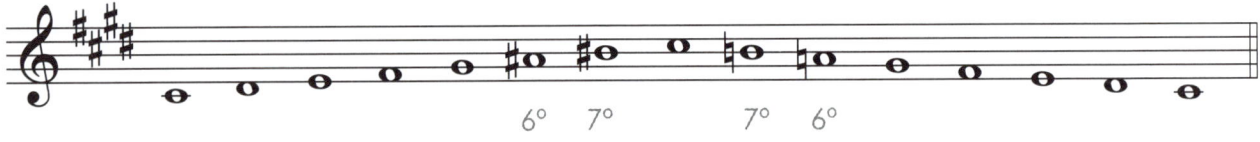

Sobre las notas Do sostenido, Fa sostenido y Sol sostenido se forman sus grados tonales el I, IV y V. Recuerda que el 7° grado en el **modo menor** necesita alterarse siempre por ser la **sensible**.

Y sus **grados modales** son el III, VI y VII.

Do sostenido menor es la **tonalidad relativa** de Mi Mayor, sus tónicas están a distancia de 3ª menor y comparten los mismos sonidos, ya que tienen la misma armadura.

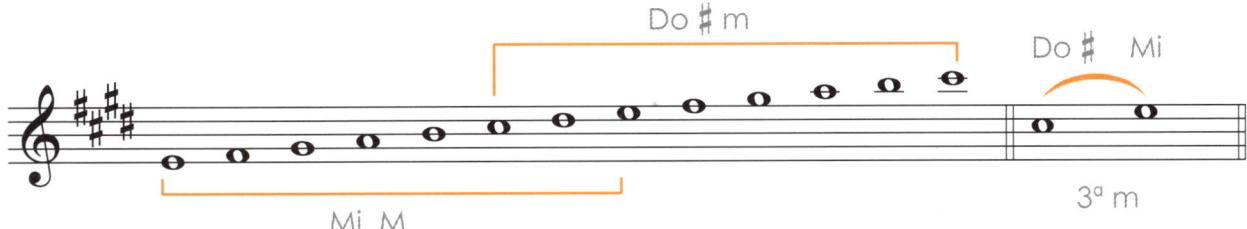

Escalas hispano-árabe y menor oriental o zíngara. Hay otro tipo de escalas llamadas características que son propias de otros países o culturas, dos de las más utilizadas y que se caracterizan por tener dos intervalos de 2ª Aumentada, son:

La **escala hispano-árabe:** es como una escala Mayor con el 2º y 6º grados alterados descendentemente un semitono.

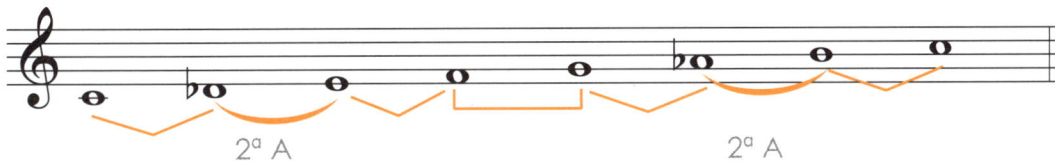

Y la **escala menor oriental o zíngara:** es como una escala menor con el 4º y 7º grados alterados ascendentemente un semitono.

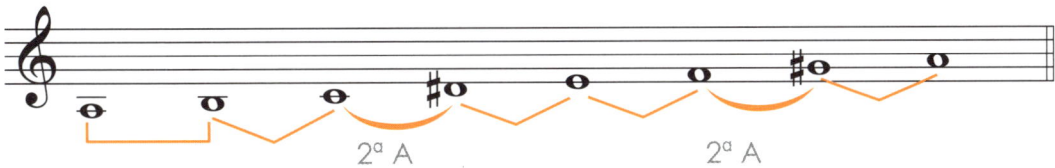

1   Escribe la escala de Do sostenido menor y señala sus grados tonales.

2   ¿Cuáles son los grados modales de Do sostenido menor? ¿Y su sensible?

3   ¿A qué distancia se encuentran las tónicas de las tonalidades relativas?

3

4   Escribe la escala hispano-árabe de Sol.

5   Escribe la escala menor oriental o zíngara de Re.

Compases 6/16, 9/16, 12/16

Son **compases compuestos** de subdivisión ternaria.

El compás de **6/16** tiene dos tiempos, se marca como el 6/8, tiene el primer tiempo fuerte y el segundo débil, su unidad de subdivisión es la semicorchea, la de tiempo la corchea con puntillo y la de compás la negra con puntillo.

El compás de **9/16** tiene tres tiempos, se marca como el 9/8, tiene el primer tiempo fuerte y el segundo y tercer tiempo débiles, su unidad de subdivisión es la semicorchea, la de tiempo la corchea con puntillo y la de compás la negra con puntillo ligada a una corchea con puntillo.

El compás de **12/16** tiene cuatro tiempos, se marca como el 12/8, tiene el primer y tercer tiempo fuertes y el segundo y cuarto débiles, su unidad de subdivisión es la semicorchea, la de tiempo la corchea con puntillo y la de compás la blanca con puntillo.

Compara	6/8	6/16	9/8	9/16	12/8	12/16
Nº de Tiempos	2	2	3	3	4	4
Nº de Subdivisiones	6	6	9	9	12	12
Unidad de Subdivisión	♪	𝅘𝅥𝅯	♪	𝅘𝅥𝅯	♪	𝅘𝅥𝅯
Unidad de Tiempo	♪.	♪.	♪.	♪.	♪.	♪.
Unidad de Compás	𝅗𝅥.	𝅗𝅥.	𝅗𝅥. 𝅗𝅥.	♪. ♪.	o.	𝅗𝅥.

Doble sostenido y doble bemol

El **doble sostenido** sube dos semitonos la entonación de la nota a la que afecta, y puede escribirse de dos maneras.

y el **doble bemol** baja dos semitonos la entonación de la nota.

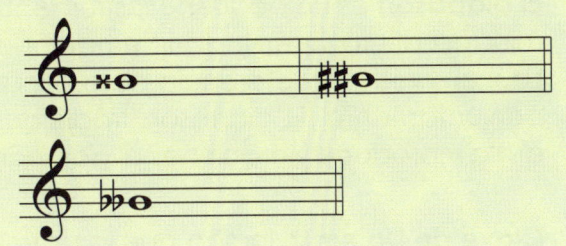

Para anular el efecto de las dobles alteraciones se siguen las mismas reglas que con las alteraciones simples, basta con un becuadro o con una alteración simple.

Enarmonía total o parcial

La **enarmonía** se produce cuando dos notas, intervalos o acordes suenan igual pero tienen diferente nombre.

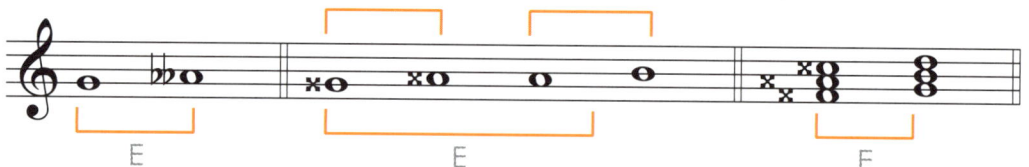

Cuando la enarmonía se produce en intervalos hemos de diferenciar entre enarmonía total o enarmonía parcial.

- **Enarmonía total o intervalos enarmónicos:** cuando se enarmonizan los dos sonidos de ambos intervalos y se mantiene el mismo número y especie de intervalo.

- **Enarmonía parcial o intervalos sinónimos:** cuando se enarmoniza uno solo de los dos sonidos cambiando el número y especie.

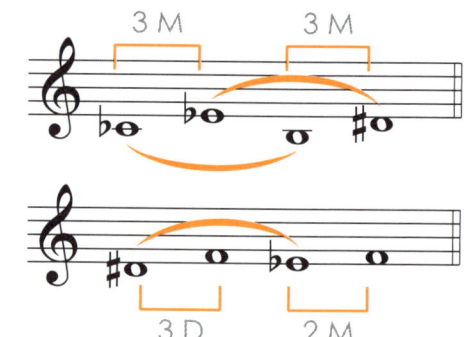

Intervalos de 4 y 5ª D, J y A

Intervalos de 4ª

A = 3T
J = 2T 1sT
D = 2T

Intervalos de 5ª

A = 4T
J = 3T 1ST
D = 3T

Recuerda:

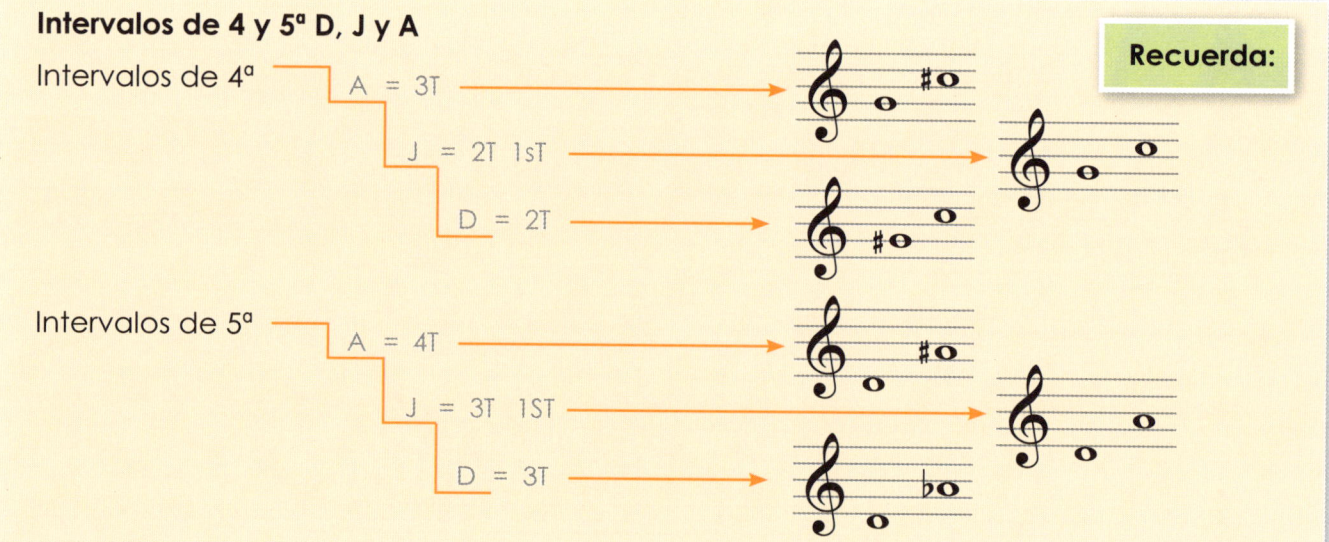

El diapasón es un pequeño instrumento afinado a una determinada altura aceptada internacionalmente que nos da el La3, el sonido de referencia para afinar todos los instrumentos conjuntamente. El diapasón tradicional tiene forma de horquilla y produce vibraciones al golpearlo.

La 3

Clave de Do en 1ª. Indica que la nota Do se escribe en la primera línea del pentagrama y corresponde al Do3, a partir de ella conoceremos el nombre de las demás notas.

Do 3   Sol La Si Do Re Mi Fa Sol La Si Do Re Mi Fa

1 Completa estas frases.

a. Los compases ……………… se subdividen en tercios.

b. La U.S. del 6/16 es la ……………

c. El compás de 12/16 tiene ……………… tiempos.

d. El compás de 12/16 tiene como unidad de ……………… la blanca con puntillo.

e. La U.C. de ……………… es la negra con puntillo ligada a corchea con puntillo.

f. El ……………… sube dos semitonos la entonación de la nota.

g. Basta con un becuadro o una alteración simple ……………… un doble bemol.

h. El ……………… al vibrar nos da el La3.

i. En la clave de Do en 1ª el Do de la 3ª línea es el ………………

2 Califica e invierte estos intervalos.

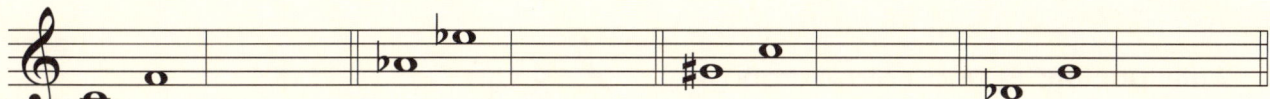

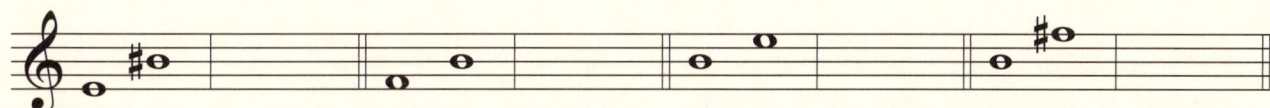

3 Señala si son sinónimos o enarmónicos estos pares de intervalos y escribe su clasificación.

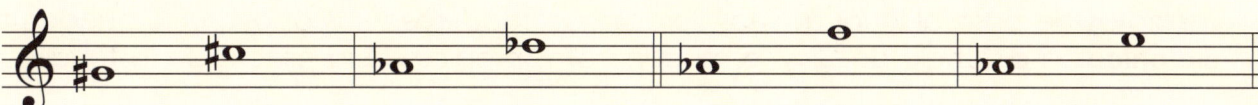

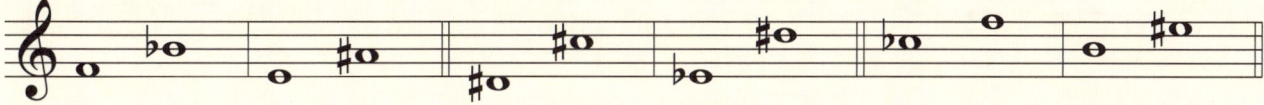

Teoría

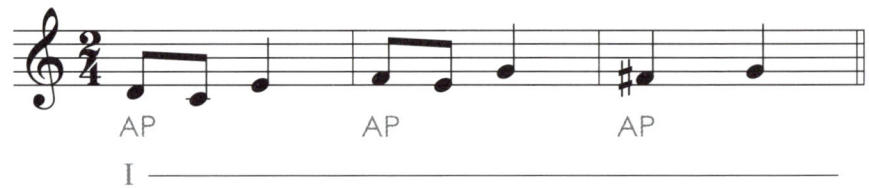

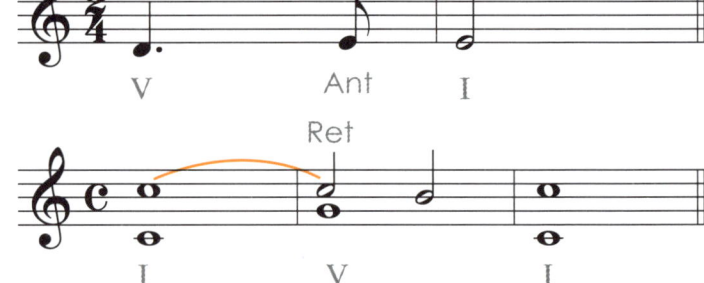

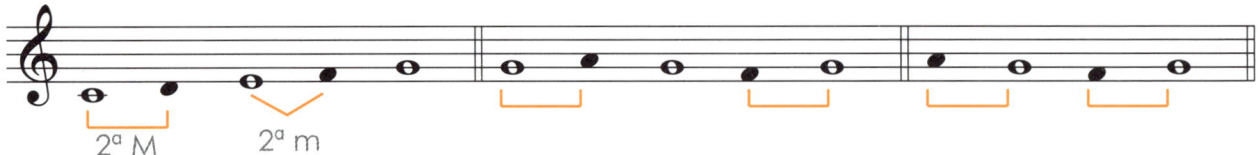

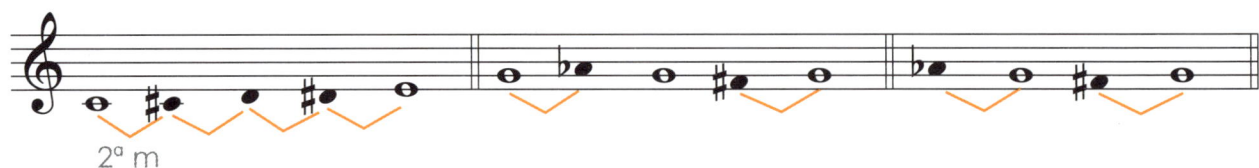

Repaso de notas extrañas al acorde: notas de paso, floreo o bordadura, apoyatura, anticipación y retardo

Nota de Paso: Une por grados conjuntos dos notas reales próximas. Se coloca en tiempo débil o parte de tiempo débil.

Floreo o Bordadura: Se escribe entre dos notas reales iguales, a distancia de 2ª superior o inferior. Se coloca en tiempo débil o parte de tiempo débil.

Apoyatura: Se escribe delante de una nota real, a distancia de 2ª superior o inferior. Se coloca en tiempo fuerte o parte de tiempo fuerte.

4

Anticipación: Es una nota extraña al acorde, que en el siguiente acorde es nota real.

Retardo: Es una nota del primer acorde que se alarga después de la caída del segundo.

Notas extrañas diatónicas y cromáticas

Las notas de paso al igual que los floreos o bordaduras y las apoyaturas pueden ser **diatónicas** a distancia de 2ª M o m, con notas propias de la escala de la tonalidad,

o **cromáticas** a distancia de 2ª m.

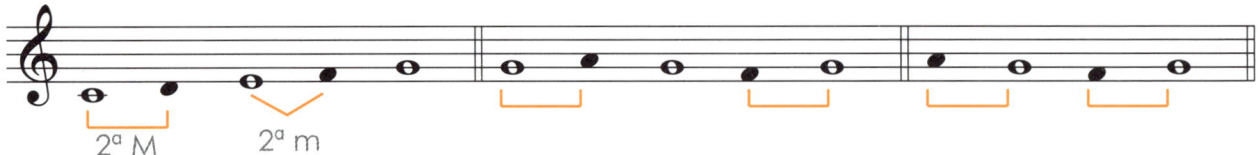

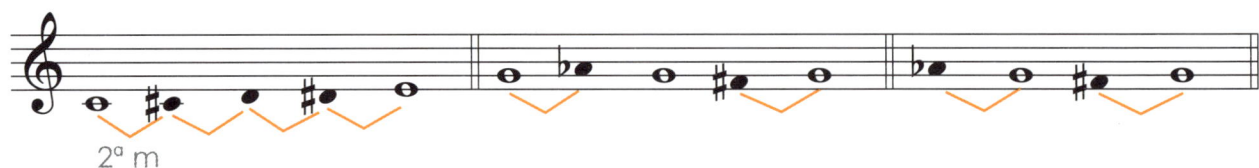

Modulación a tonos vecinos. Modular es cambiar de tonalidad. Una obra musical suele empezar y terminar en una tonalidad llamada tonalidad principal, pero no suele mantener ésta durante toda la obra, suele modular pasando por diferentes tonalidades, aunque no siempre será necesario cambiar la armadura para ello, bastará con el empleo de las alteraciones accidentales. Ten en cuenta que las notas extrañas al acorde producen una serie de notas alteradas que no tienen por qué implicar una modulación. Para saber si hay modulación o no, observa:

a. si cuando aparece la nota alterada cambia el acorde, hay modulación.

b. si no cambia el acorde no hay modulación.

Vamos a ver ahora qué alteraciones nos encontramos cuando modulamos a las 5 tonalidades vecinas:

1. Si la modulación es al modo menor, encontraremos una alteración ascendente en la 5ª nota de la escala, la nueva sensible.

2. Cuando encontramos una alteración ascendente en la 4ª nota de la escala nos indica una modulación hacia la dominante V grado.

3. Si se trata del modo menor de la dominante además de la sensible encontraremos las alteraciones propias de la nueva tonalidad.

4. Si la alteración es descendente en la 7ª nota de la escala nos indica una modulación a la subdominante IV grado.

5. Si se trata del modo menor de la subdominante, además de la sensible encontraremos las alteraciones propias de la nueva tonalidad.

En general una alteración ascendente nos indica una nueva sensible, y una alteración descendente el 4º grado de la nueva escala.

Ejercicios

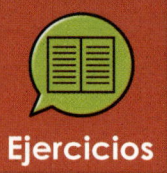

1 Completa las notas extrañas de estos fragmentos.

2 Señala las modulaciones.

4

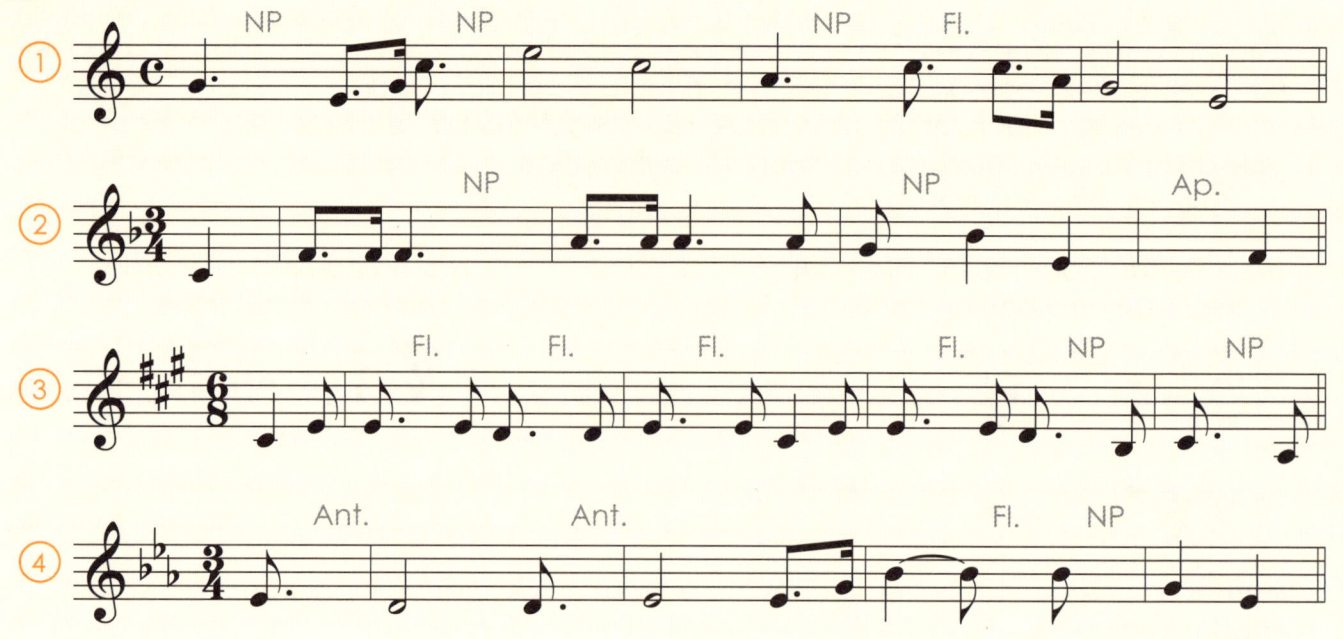

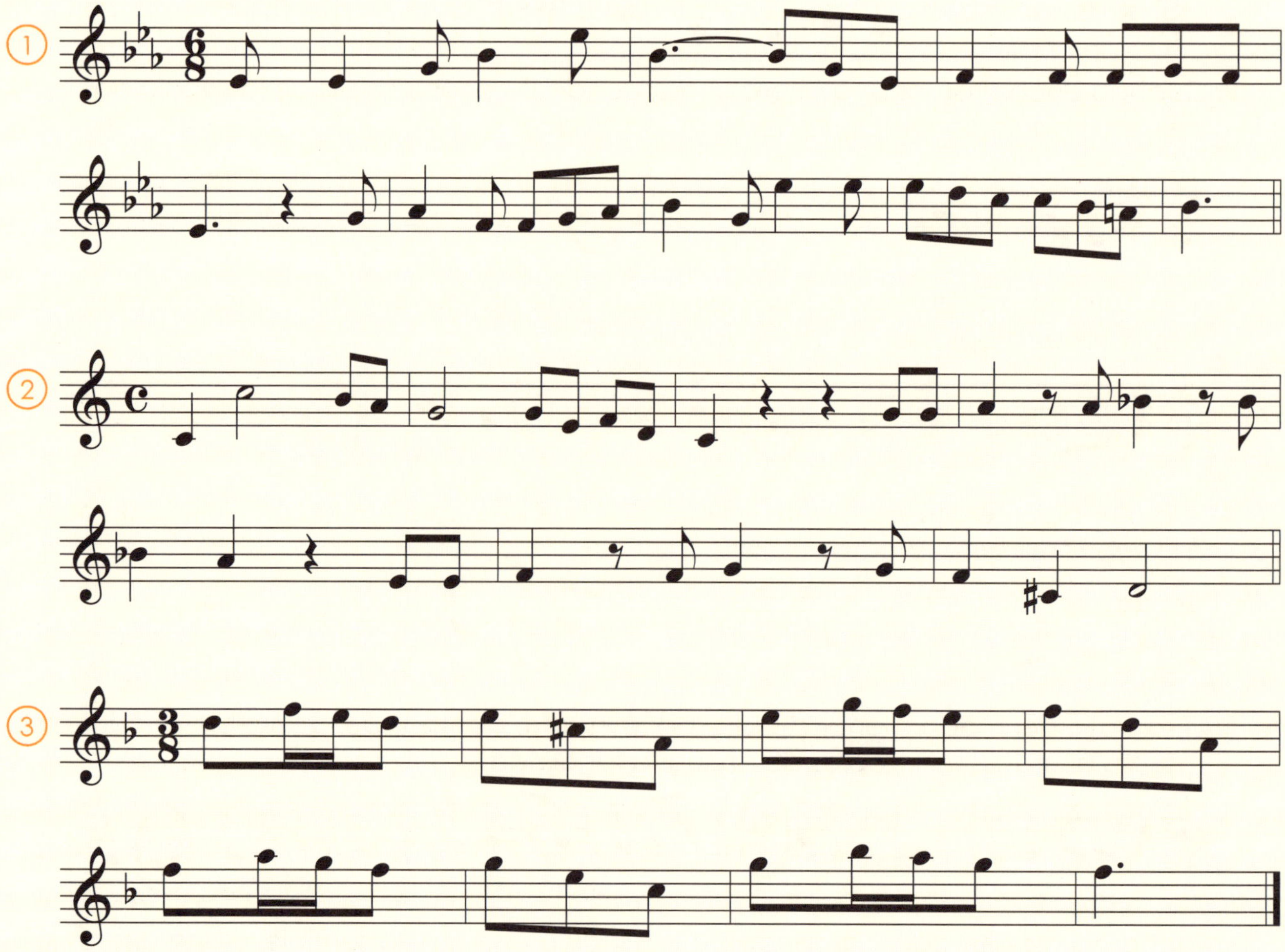

Compases simples a un tiempo: 2/8, 3/8, 2/16, 3/16

Como las unidades de tiempo de estos compases son figuras breves, de corta duración, cuando la velocidad es rápida lo más frecuente es llevarlos "a uno" con un solo movimiento.

Los compases de 6/2 , 9/2 , 12/2 son **compases compuestos** de subdivisión ternaria.

El compás de 6/2 tiene dos tiempos, el primero fuerte y el segundo débil. Se marca como el 6/8. Su unidad de subdivisión es la blanca, la de tiempo la redonda con puntillo y la de compás la cuadrada con puntillo.

$$U.S. = \text{♩} \qquad U.T. = \text{o·} \qquad U.C. = \text{||o||·}$$

El compás de 9/2 tiene tres tiempos, el primero fuerte y el segundo y tercero débiles. Se marca como el 9/8. Su unidad de subdivisión es la blanca, la de tiempo la redonda con puntillo y la de compás la cuadrada con puntillo ligada a redonda con puntillo.

$$U.S. = \text{♩} \qquad U.T. = \text{o·} \qquad U.C. = \text{||o||· ⌣ o·}$$

El compás de 12/2 tiene cuatro tiempos, el primero y tercero fuertes y el segundo y cuarto débiles. Se marca como el 12/8. Su unidad de subdivisión es la blanca, la de tiempo la redonda con puntillo y la de compás la máxima con puntillo.

$$U.S. = \text{♩} \qquad U.T. = \text{o·} \qquad U.C. = \text{⊨·}$$

Estos compases también pueden escribirse así: ▶ 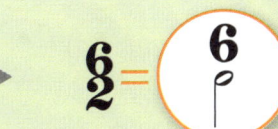  $\frac{12}{2} = \overset{12}{\text{𝅗𝅥}}$

Con ellos completamos el cuadro de compases compuestos.

Recuerda:

Compases correspondientes. Cada compás simple tiene su correspondiente compuesto y viceversa, son compases que tienen el mismo número de tiempos y la misma unidad de subdivisión. Para hallar el compás compuesto a partir de su correspondiente simple se multiplica el numerador por 3 y el denominador por 2, y para hallar el compás simple a partir de su correspondiente compuesto se divide el numerador por 3 y el denominador por 2.

$$\frac{2}{4} \begin{array}{l}(x\ 3) = \\ (x\ 2) = \end{array} \frac{6}{8} \qquad \frac{9}{4} \begin{array}{l}(:\ 3) = \\ (:\ 2) = \end{array} \frac{3}{2}$$

	2/4	6/8		9/4	3/2
N° de Tiempos (NT)	2	2		3	3
N° de Subdivisiones (NS)	4	6		9	6
Unidad de Subdivisión (US)	♪	♪		♩	♩
Unidad de Tiempo (UT)	♩	♩.		♩.	♩
Unidad de Compás (UC)	♩	♩.		o.⌣♩.	o.

Cuadro de compases compuestos

Observa y compara: si miras el cuadro verticalmente verás que las unidades de subdivisión y de tiempo en los compases con el mismo denominador son las mismas, y si miras el cuadro horizontalmente verás que con cada compás las figuras tienen la mitad del valor de las anteriores.

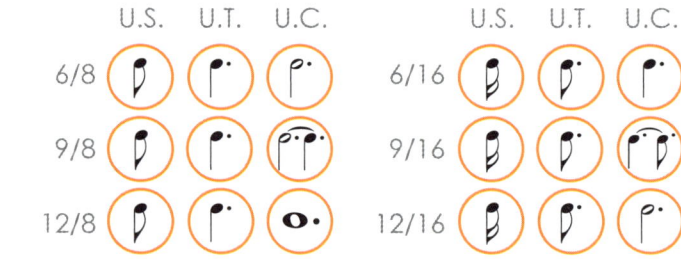

1 Señala Verdadero o Falso:

a. Los compases de 2/8 y 2/16 suelen llevarse "a uno". ☐ V ☐ F

b. La unidad de tiempo del 2/16 y 3/16 es la corchea. ☐ V ☐ F

c. El compás de 6/2 es un compás simple. ☐ V ☐ F

d. El compás de 9/2 se marca como el 9/8. ☐ V ☐ F

e. La unidad de compás del 12/2 es la máxima con puntillo. ☐ V ☐ F

f. La unidad de subdivisión del 6/2 es la blanca. ☐ V ☐ F

g. La unidad de tiempo del 9/2 es la redonda. ☐ V ☐ F

h. Los numeradores de los compases compuestos son 6, 9 ó 12. ☐ V ☐ F

i. Los compases simples se subdividen en tercios. ☐ V ☐ F

j. Un compás simple tiene como numerador el 2, 3 ó 4. ☐ V ☐ F

k. El denominador en los compases compuestos indica la unidad de subdivisión. ☐ V ☐ F

2 Completa el cuadro de compases compuestos.

U.S.	U.T.	U.C.		U.S.	U.T.	U.C.		U.S.	U.T.	U.C.		U.S.	U.T.	U.C.
	○·			♩				𝅗𝅥			6/16			♪·
♩			9/4		♩·		9/8			♩· ♩			𝅗𝅥·	
12/2		⊞·				‖○‖·			♩·			𝅗𝅥		

3 Escribe los compases correspondientes.

$\frac{2}{1}$ = ☐ $\frac{3}{8}$ = ☐

$\frac{4}{2}$ = ☐ $\frac{2}{4}$ = ☐

$\frac{9}{8}$ = ☐ $\frac{6}{4}$ = ☐

$\frac{4}{8}$ = ☐ $\frac{12}{8}$ = ☐

5

Escala de La bemol Mayor, sus grados tonales y modales. Si escribimos una escala mayor a partir de la nota La bemol necesitaremos alterar con un bemol las notas Si, Mi, La y Re para respetar las distancias de tono y semitono de una escala mayor.

Observa que en una escala Mayor entre la Tónica y el tercer grado siempre hay una distancia de 3ª mayor.

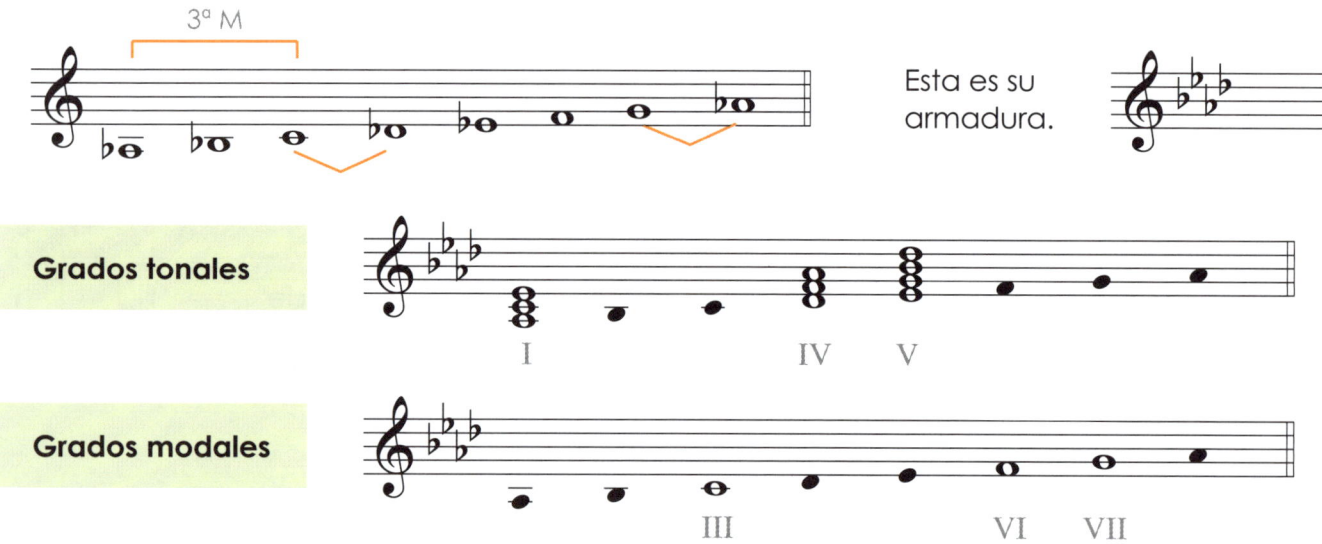

Esta es su armadura.

Grados tonales

I   IV   V

Grados modales

III   VI   VII

Escalas mixtas. Si dividimos una escala en dos partes iguales obtenemos dos tetracordos (sucesión de 4 sonidos), el primer tetracordo lo forman los cuatro primeros sonidos de la escala y el segundo tetracordo los cuatros últimos.

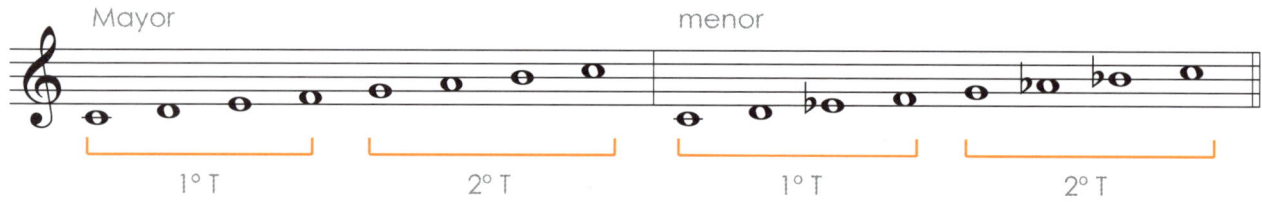

Las **escalas mixtas** son las que están formadas por un tetracordo de la escala mayor y otro de la escala menor o viceversa.

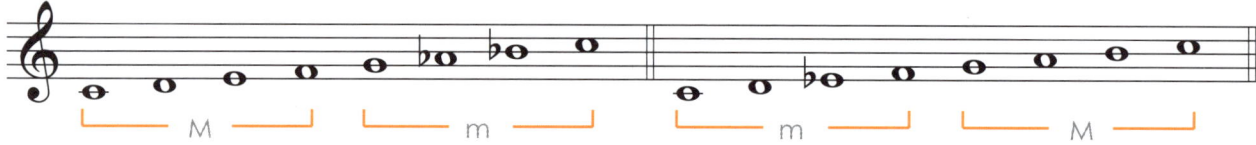

Podemos hablar de 4 tipos de escalas mayores mixtas y 4 tipos de escalas menores mixtas, según se alteren el 6º o el 7º grado, o ambos. La alteración de estos grados da variedad y colorido a la melodía y a la armonía.

Las escalas mayores mixtas que se forman son:

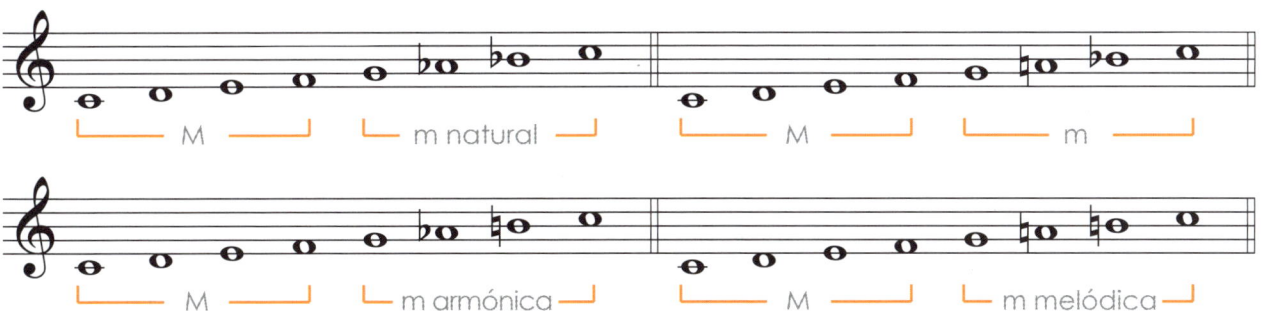

Y las escalas menores mixtas son:

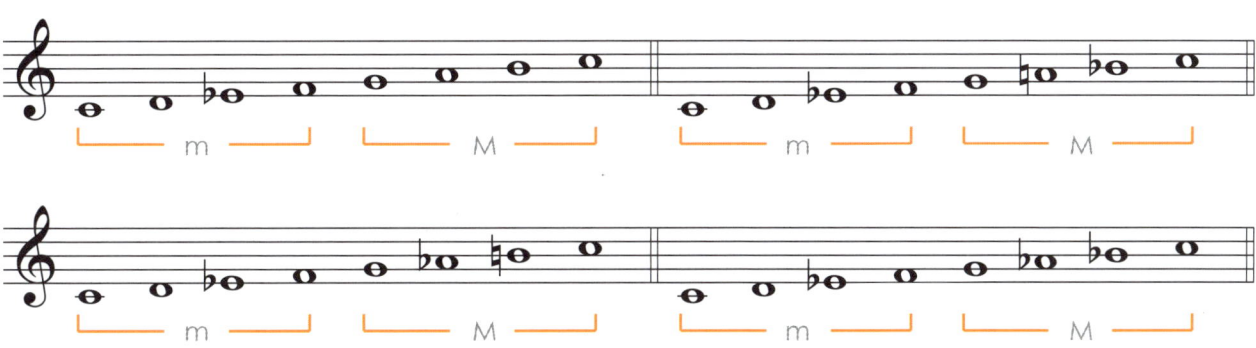

Intervalos de 2ª, 3ª, 4ª y 5ª

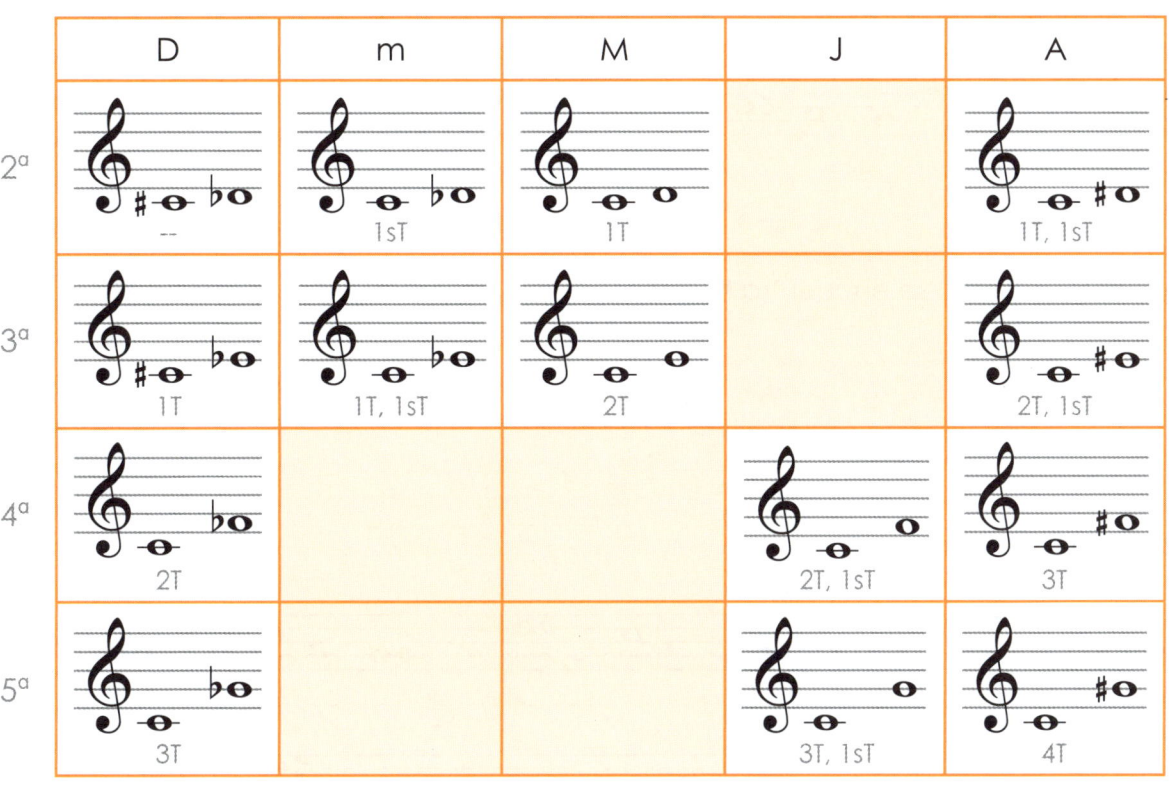

Ejercicios

1 Escribe la escala de La bemol Mayor y señala sus grados tonales.

2 Une con flechas el nombre de la escala con su correspondiente.

   Re M mixta melódica

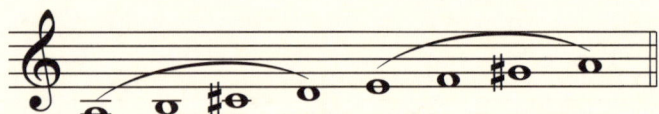   Mi m mixta

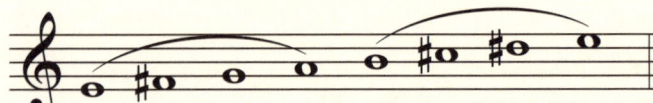   La M mixta armónica

5

   Sol m mixta

   Do m mixta

3 ¿A qué distancia se encuentra la tónica del tercer grado en una escala Mayor?

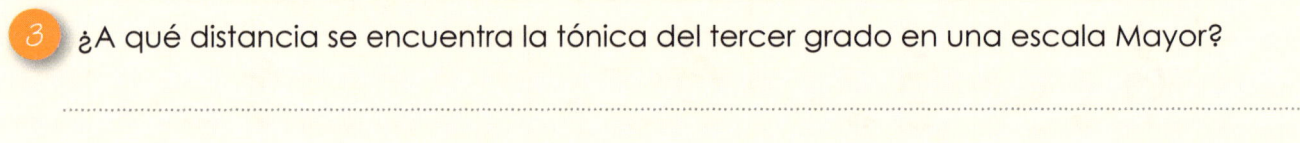

4 Califica estos intervalos.

Grupos irregulares: quintillo equivalente a un tiempo. El quintillo es un grupo de 5 figuras que equivalen a 4 de su misma clase en compás simple o a 6 en compás compuesto. El quintillo es excedente en compás simple y deficiente en compás compuesto.

Recuerda:

En todos los grupos irregulares sus notas pueden agruparse o desdoblarse dentro del mismo.

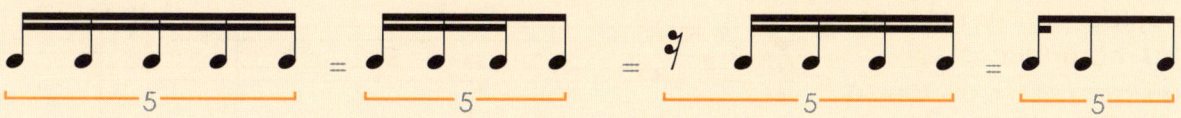

Escala de Fa menor, sus grados tonales y modales. Si escribimos una escala menor a partir de la nota Fa necesitamos alterar las notas Si, Mi, La y Re con un bemol, para respetar las distancias de tono y semitono de una escala menor.

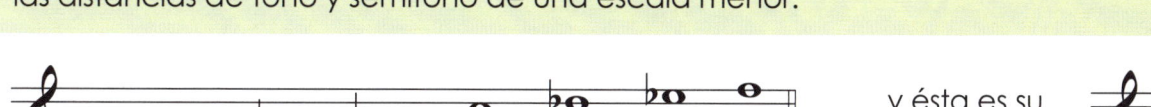

y ésta es su armadura.

Para formar la **escala armónica** de Fa menor alteramos el 7° grado.

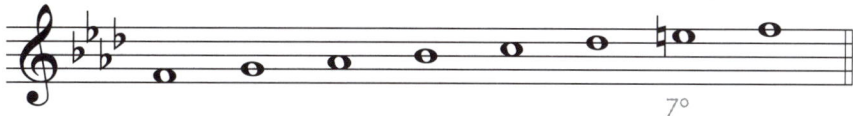

Y para formar la **escala melódica** alteramos el 6° y el 7° en sentido ascendente, en sentido descendente la escala vuelve a ser natural.

Sobre las notas Fa, Si bemol y Do se forman sus **grados tonales**. Recuerda que en el acorde de dominante el Mi necesita alterarse por ser la **sensible**.

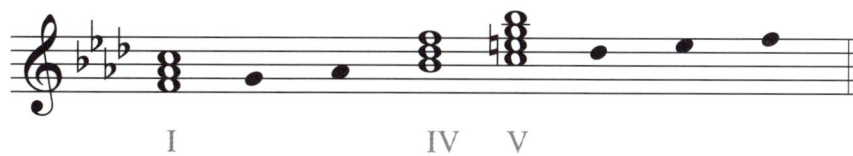

Y sus **grados modales** son el La bemol, el Re bemol y el Mi bemol.

Recuerda:

Las **escalas relativas** son las que comparten los mismos sonidos por tener la misma armadura, y sus tónicas se encuentran a distancia de 3ª menor, por lo tanto la escala relativa de Fa menor es La bemol Mayor.

Recuerda también que **escalas homónimas** son las que tienen la misma tónica pero modalidades distintas, sus sonidos se diferencian nada más que en sus grados modales. La homónima de Fa menor es Fa Mayor.

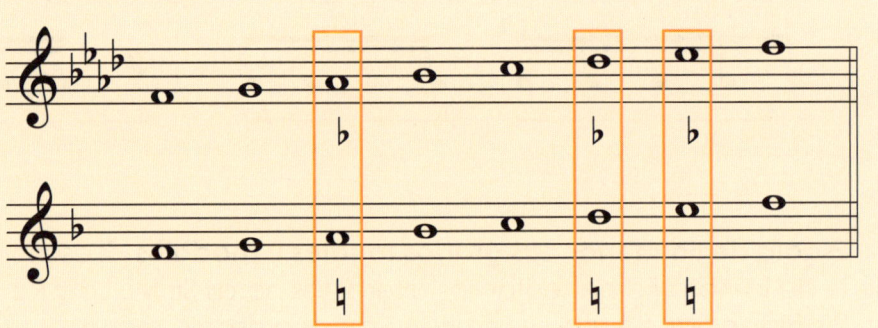

6

Ejercicios

1. Indica las equivalencias de los siguientes quintillos y su duración en el compás.

Ejercicios

2 Completa los compases con quintillos.

3 Quita o añade alteraciones para convertir la escala en su homónima.

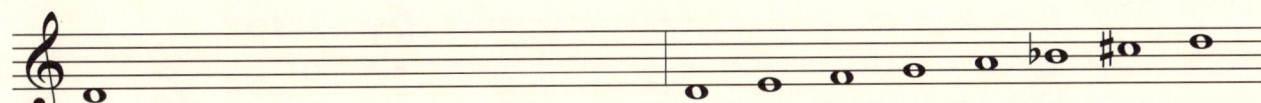

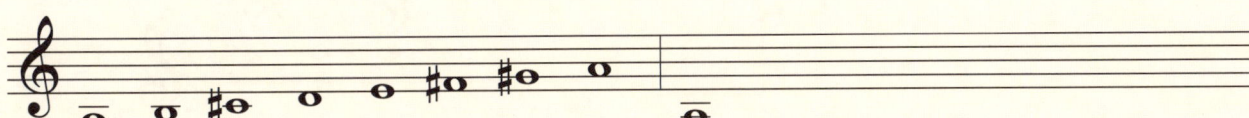

4 Escribe la escala melódica de Fa menor y su homónima. Señala las diferencias.

5 ¿Cuáles son los grados tonales de Fa menor?

La nota pedal es una nota larga mantenida mientras sobre ella o por debajo de ella se suceden distintos acordes. Suele ser la fundamental del acorde de Tónica o Dominante y suena independiente a la melodía original.

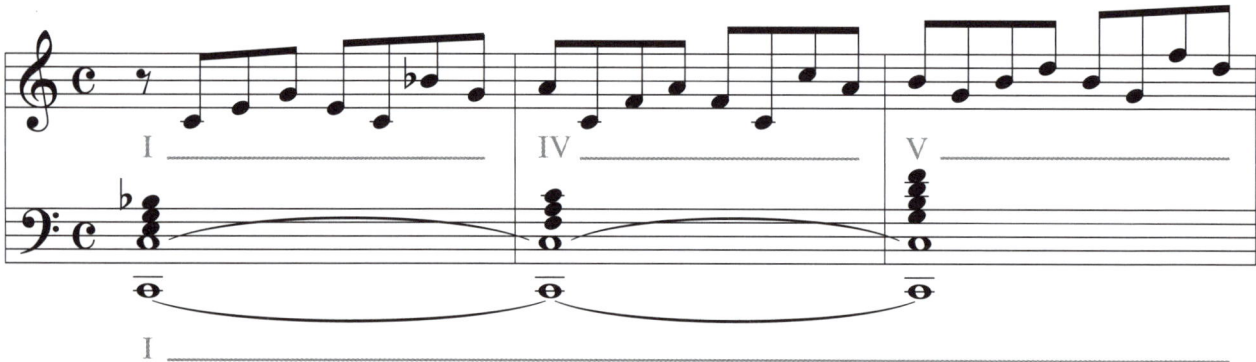

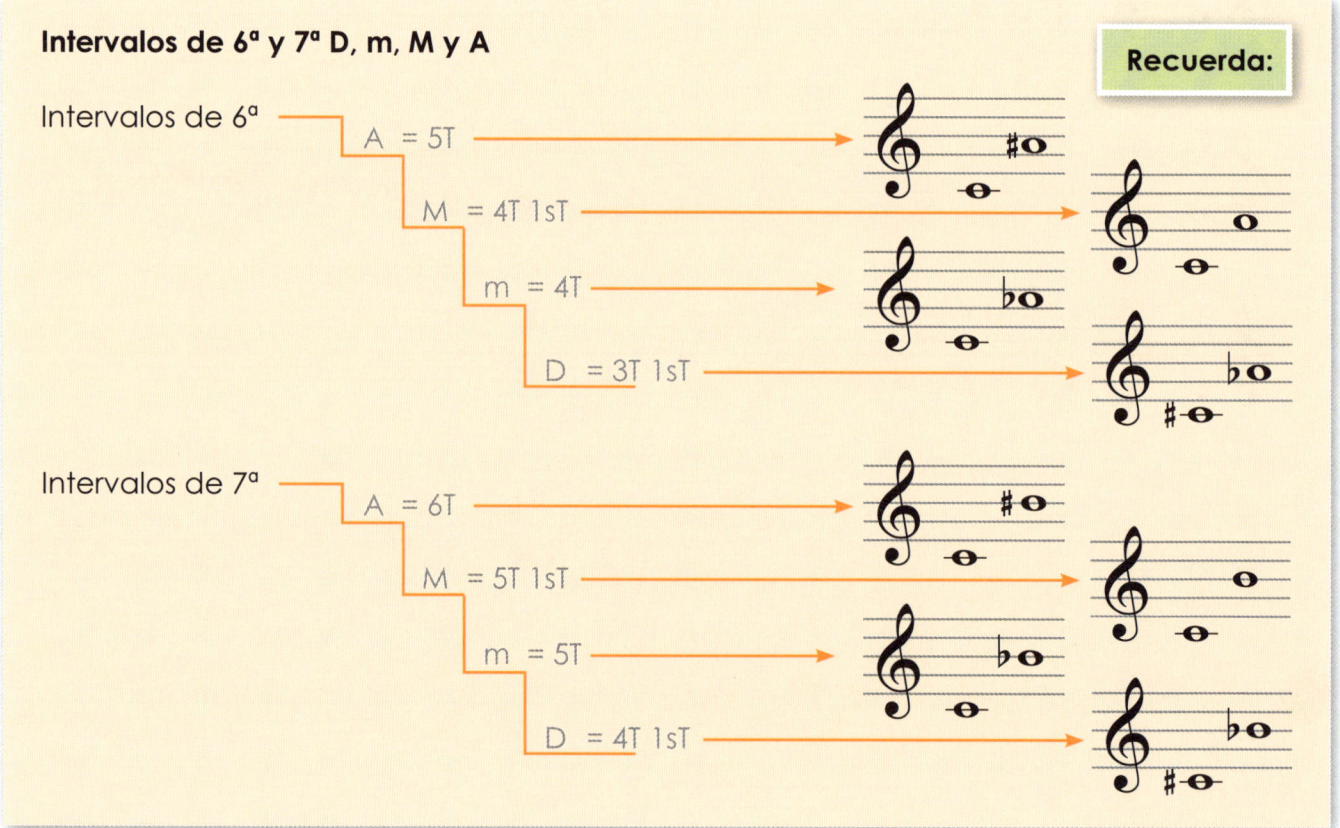

Intervalos de 6ª y 7ª D, m, M y A

Recuerda:

Intervalos de 6ª
- A = 5T
- M = 4T 1sT
- m = 4T
- D = 3T 1sT

Intervalos de 7ª
- A = 6T
- M = 5T 1sT
- m = 5T
- D = 4T 1sT

Notas de adorno: apoyatura

Las notas de adorno son unas notas pequeñitas que no tienen valor asignado dentro del compás, por lo que deben tomarlo de la nota principal a la que acompañan o de la figura anterior. Su fin es ornamental, muy utilizadas durante los siglos XVII y XVIII son poco utilizadas en la actualidad debido a las diferentes interpretaciones que pueden darse según épocas o distintos autores. No hay que confundir las "notas de adorno" con las "notas extrañas al acorde".

La apoyatura es una nota de adorno que se escribe delante de la nota principal y ligada a ella, toma el valor que su figura representa de la nota principal. Su sonido se acentúa para resaltar el carácter de apoyatura. Precede por grados conjuntos a la nota principal y puede ser ascendente o descendente.

Escritura

Interpretación

Antiguamente la apoyatura se escribía con una corchea o con distintos signos como éstos.

Se interpretaba de la siguiente manera:
Si la nota principal se podía dividir en dos partes, la apoyatura tomaba una de ellas.

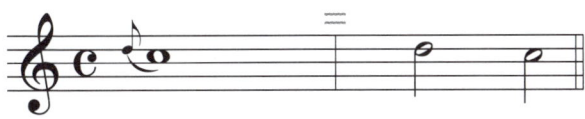

Si la nota principal se podía dividir en tres partes, la apoyatura tomaba dos de ellas.

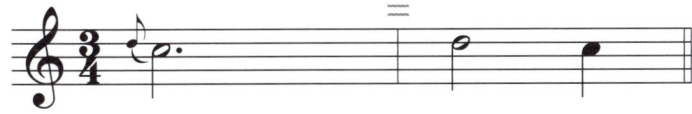

A finales del Barroco se tiende a escribir la apoyatura con distintas figuras con el fin de precisar su valor real.

1. ¿Sobre qué grados se suele escribir la nota pedal?

....

....

2. Añade la alteración necesaria para completar el intervalo.

3. Califica estos intervalos.

4. Escribe la interpretación de estas apoyaturas.

5. ¿Podrías sustituir alguna de las notas por apoyaturas en este fragmento? Escríbelo.

Recuerda:

Intervalo de 8ª D, J y A

Intervalos de 8ª

A = 6T 1sT

J = 6T

D = 5T 1sT

Grupos irregulares: septillo equivalente a un tiempo. El septillo es un grupo de 7 figuras que equivalen a 4 de su misma clase en compás simple o a 6 en compás compuesto. El septillo es excedente tanto en compás simple como en compás compuesto.

C.S.   C.C.

Las notas del septillo también pueden agruparse o desdoblarse en otras figuras, incluso con grupos irregulares dentro del septillo.

Recuerda:

Ampliación y repaso matices dinámicos y agógicos

Matices dinámicos. Nos indican la intensidad o fuerza con la que debemos cantar o tocar. Se dividen en tres grupos:
1. Los de intensidad uniforme como **piano** y **forte**.
2. Los que aumentan poco a poco la intensidad como **crescendo**.
3. Los que disminuyen poco a poco la intensidad como **diminuendo**.

Matices agógicos. Nos indican la velocidad con la que debemos interpretar una obra. Se dividen en cinco grupos:
1. Los de velocidad uniforme como **Andante**, **Allegro**.
2. Los que aumentan progresivamente la velocidad como **accelerando**, **stringendo**.
3. Los que disminuyen progresivamente la velocidad como **ritardando**, **rallentando**.
4. Los que suspenden el movimiento dejando libertad al intérprete como **ad libitum**, **a piacere**.
5. Los que restablecen el movimiento como **a tempo**, **primo tempo**.

Vamos a conocer más términos de expresión musical, son términos dinámicos o agógicos que combinados con otras indicaciones refuerzan la expresión musical.

Dinámicos

Términos	Abreviatura	Significado
forte piano	fp	atacad la nota fuerte y seguid piano
fortissimo	ff	más fuerte que forte
mezza voce	mez. voc.	a media voz
mezzo forte	mf	medio fuerte
mezzopiano	mp	medio suave
pianissimo	pp	más suave que piano
sotto voce	sot. voc.	en voz baja
tutta forza	t.f.	con toda fuerza

Agógicos

Términos	Abreviatura	Significado
accelerando	accel.	acelerando
agitato		agitado
andantino		un poco menos lento que Andante
commodo		cómodamente
con moto		con movimiento
grave		lento
maestoso		majestuoso
mesto		triste
mosso		deprisa, animado
possibile		lo más posible
primo tempo	Tº Iº	Primer tiempo
ritenendo	riten.	reteniendo
rubato	rub.	robado, libremente medido
semplice		simplemente
stretto		estrechado
subito	sub.	súbitamente

7

1 Califica los siguientes intervalos.

2 Todos estos grupos tienen la misma equivalencia, escríbela en el recuadro.

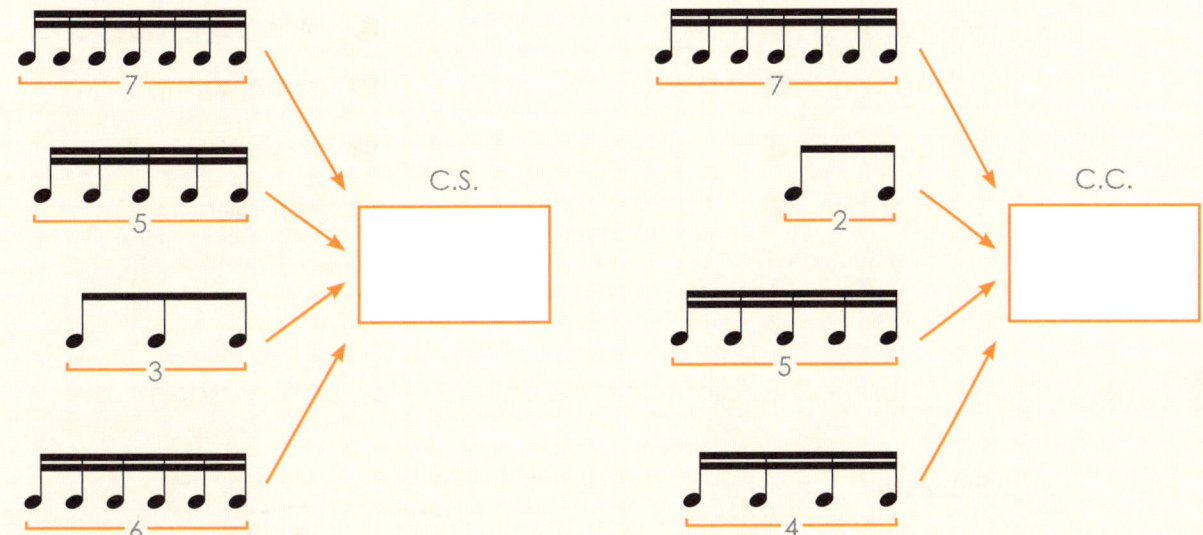

C.S.

C.C.

3 Indica las equivalencias de los siguientes septillos y su duración en el compás.

1 Tiempo

4 Une con flechas el término con su significado:

Primo tempo ●   ● Agitado

Ritenendo ●   ● A media voz

Fortissimo ●   ● Súbitamente

Agitato ●   ● Con movimiento

Mezza voce ●   ● Más fuerte que forte

Sotto voce ●   ● Primer tiempo

Con moto ●   ● En voz baja

Subito ●   ● Reteniendo

5 Señala con una D los matices dinámicos y con una G los matices agógicos.

7

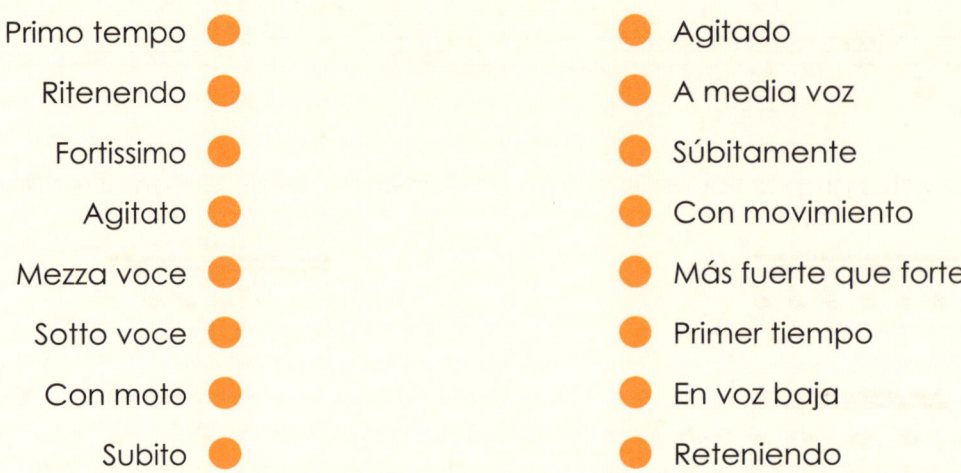

Recuerda:

Cadencias: cadencia perfecta, plagal, rota o evitada y semicadencia

Las cadencias son como el punto final de las frases o semifrases, pueden tener un final **conclusivo**: cuando terminan con el acorde de tónica dando una fuerte sensación de final, o **suspensivo**: cuando lo hacen en un acorde distinto al de tónica dando sensación de continuidad en el discurso. Vamos a repasar ahora las cadencias que conoces:

Cadencias conclusivas	Cadencia perfecta V-I
	Cadencia plagal IV-I
Cadencias suspensivas	Cadencia rota o evitada V-VI
	Semicadencia V

Notas de adorno: Mordente de 1 y 2 notas

Los mordentes pueden ser de 1 o más notas:

- **El mordente de una nota** se representa por medio de una corchea o semicorchea cuya plica está atravesada por una línea oblicua, se escribe delante de la nota principal y ligada a ella. Aunque en principio se escribía a distancia de tono o semitono, puede escribirse a cualquier distancia de la nota real. Su interpretación es siempre rápida.

- **El mordente de dos notas** se representa por dos pequeñas semicorcheas ligadas a la nota principal, se ejecuta rápidamente.

Pueden tener cualquier diseño melódico. Algunos de los mordentes más utilizados pueden representarse por un signo abreviado como el mordente superior, el mordente inferior o el recto ascendente.

Si la nota auxiliar lleva alteración, se coloca arriba o debajo del signo del mordente.

Tanto el mordente de una nota como el de dos toman su valor:

a. de la nota principal generalmente en obras del Barroco o Clásico, es decir, sobre el tiempo.

b. de la nota anterior en obras del romanticismo y actuales, es decir, antes del tiempo.

Ejercicios

1 Completa el cuadro de cadencias.

	Cadencia perfecta ....
.... conclusivas	.... IV-I
Cadencias	....
	Semicadencia ....

2 Señala el tipo de cadencia.

3 Une con una línea los signos con su realización correcta.

Escala de Si Mayor, sus grados tonales y modales. Si escribimos una escala mayor a partir de la nota Si necesitaremos alterar con un sostenido las notas Fa, Do, Sol, Re y La para respetar las distancias de tono y semitono de una escala mayor.

Observa que en una escala Mayor entre la Tónica y el III grado siempre hay una distancia de 3ª mayor.

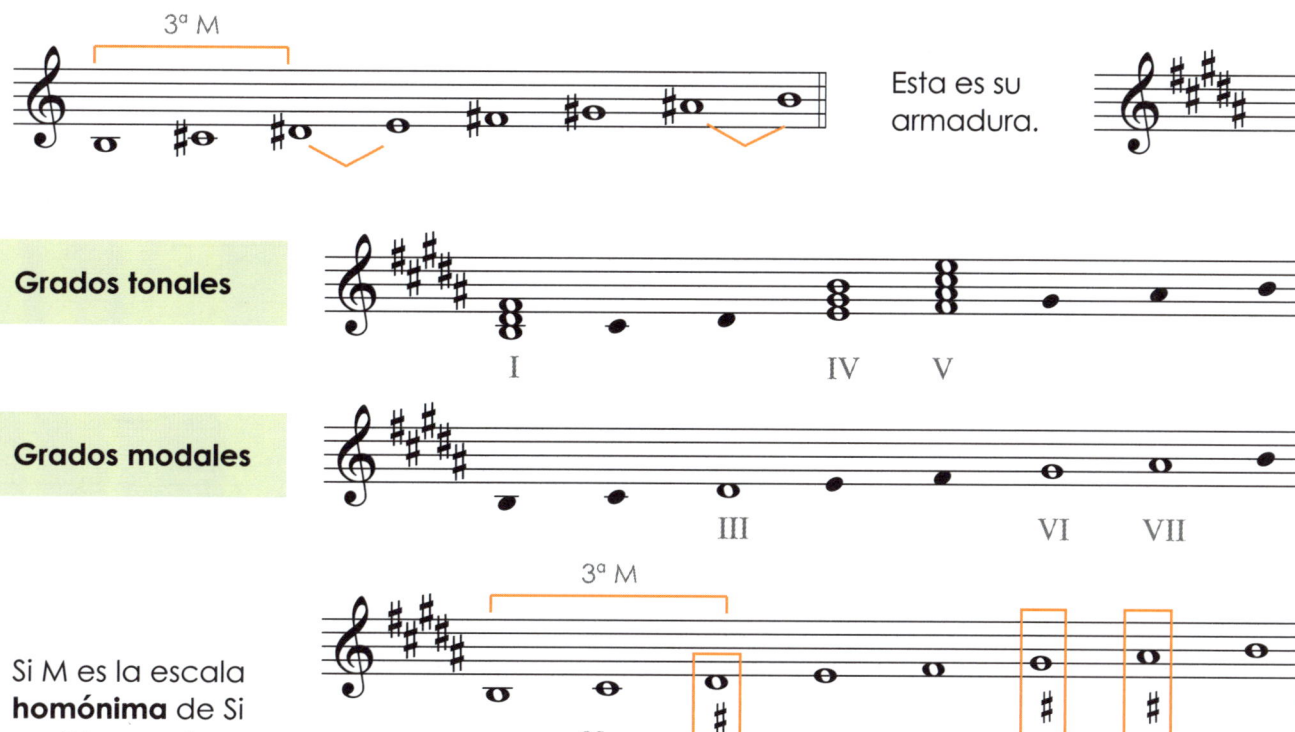

Esta es su armadura.

Grados tonales

I   IV   V

Grados modales

III   VI   VII

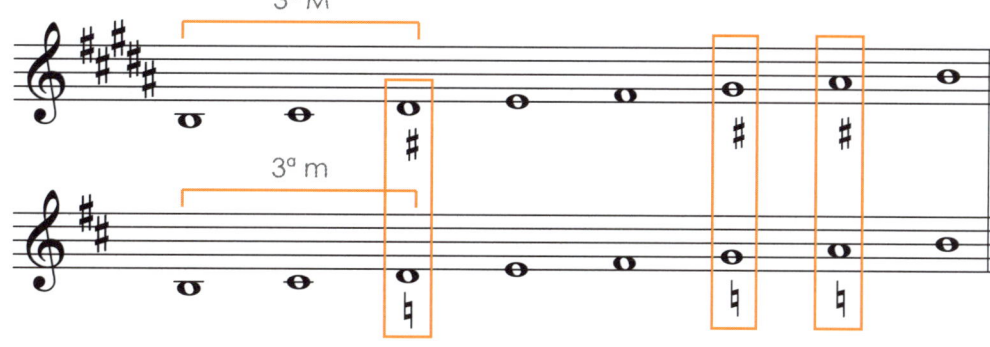

Si M es la escala **homónima** de Si m. Observa las diferencias.

Intervalos de 6ª, 7ª y 8ª

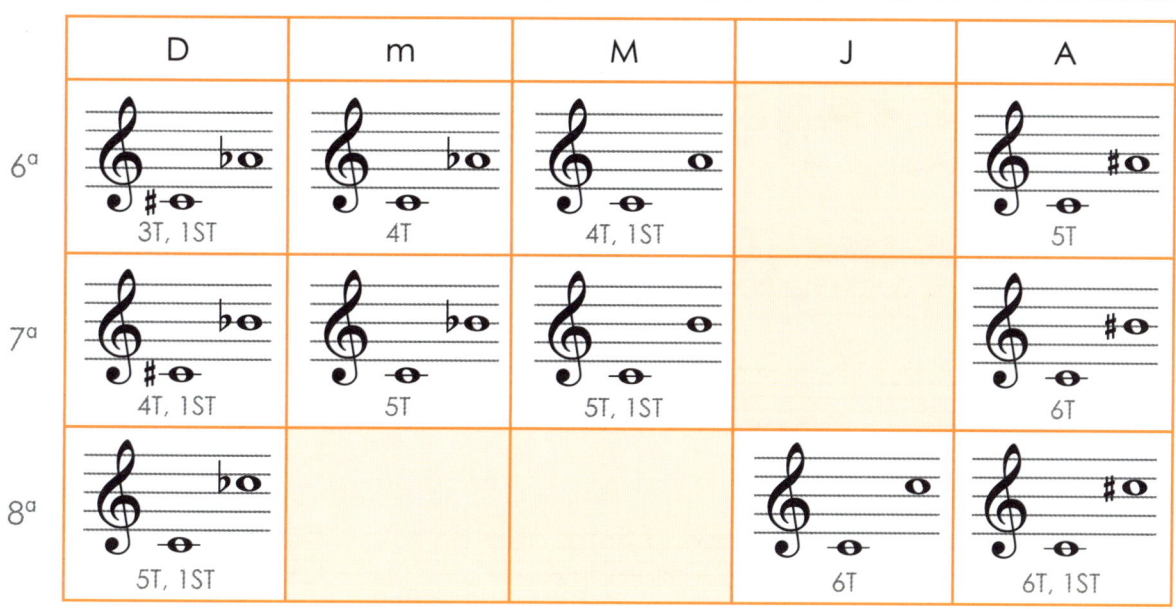

	D	m	M	J	A
6ª	3T, 1ST	4T	4T, 1ST		5T
7ª	4T, 1ST	5T	5T, 1ST		6T
8ª	5T, 1ST			6T	6T, 1ST

Ampliación y repaso de términos de acentuación y articulación

Estos términos nos indican como deben ser atacados o ejecutados los sonidos de forma precisa en una obra. Repasamos ahora los signos y términos utilizados con mayor frecuencia:

Ligado o ligadura de expresión o fraseo. Las notas que abarca esta ligadura deben ejecutarse sin interrupción, sin que el sonido se corte.

Cuando esta ligadura abarca solo dos notas debe interpretarse acentuando ligeramente la primera y acortando la segunda.

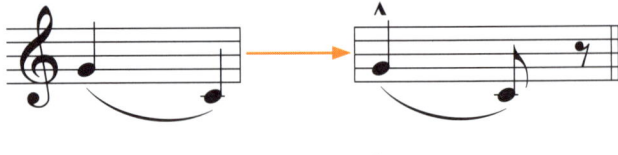

Si la ligadura abarca dos notas del mismo sonido, el segundo sonido se escribe con un punto para diferenciarla de la ligadura de prolongación.

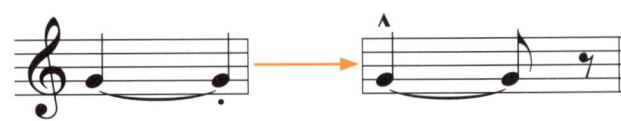

Picado. Se ejecuta acortando la duración de las figuras reduciendo su valor aproximadamente a la mitad, interpretándolas por separado.

Picado-ligado. Se ejecuta acortando ligeramente los sonidos, manteniendo la intención de ligar la frase.

Staccato. Se representa como un pequeño triángulo en forma de lágrima y se ejecuta acortando la duración a una cuarta parte de su valor, más corto que el picado.

Subrayado. Se ejecuta destacando la nota, apoyando el sonido y manteniendo toda su duración.

Subrayado-picado. Se deben apoyar las notas con algo más de ligereza y separándolas entre sí.

Acentos. Según el grado de intensidad se pueden colocar tres signos encima o debajo de una nota:

a. **acento débil**, es el subrayado.

b. **acento simple**, pequeño ángulo cuya ejecución es atacar con fuerza sosteniendo el sonido durante todo el valor de la nota.

c. el **sforzando**, ángulo con el vértice a la derecha, la nota se ataca con mayor intensidad y se disminuye progresivamente.

d. el **contraesforzando**, ángulo con el vértice a la izquierda, se ataca suavemente aumentando progresivamente su intensidad.

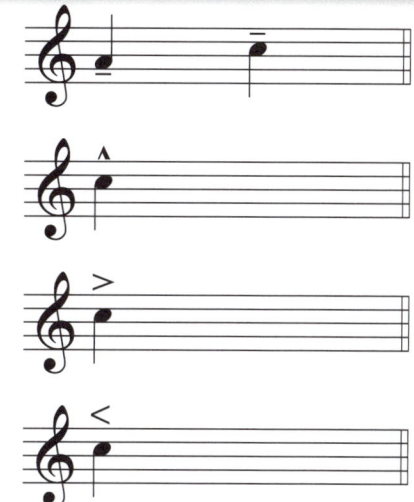

Filado. Se utiliza en notas largas, son dos reguladores, el primero abierto a la derecha y el segundo abierto a la izquierda, se ejecuta aumentando y disminuyendo la intensidad del sonido.

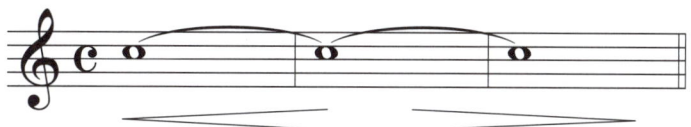

Coma de respiración. Colocada encima del pentagrama indica una interrupción en la emisión del sonido. El tiempo de la respiración debe tomarse de la nota anterior y no de la siguiente, que debe ser atacada en su sitio exacto.

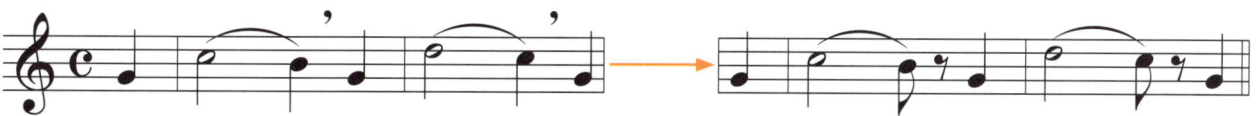

Signos de separación. Indican una separación más o menos grande entre dos fragmentos, se escriben tocando el pentagrama. Separación pequeña /, separación mediana V, separación grande //.

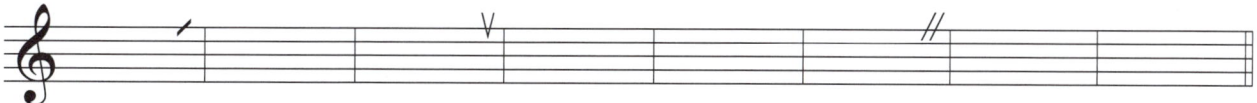

1 Escribe la escala de Si M y señala sus grados tonales.

2 Escribe la escala homónima de Si M y señala las diferencias.

3 Califica estos intervalos:

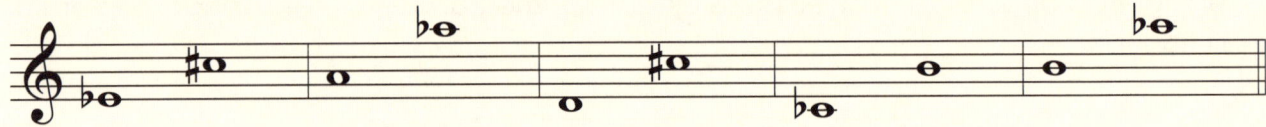

4 Señala Verdadero o Falso:

a. El ligado indica que debe interpretarse el fragmento sin que el sonido se corte. ☐ V ☐ F

b. El picado no reduce el valor de las notas. ☐ V ☐ F

c. El staccato es más corto que el picado. ☐ V ☐ F

d. El subrayado alarga la duración de la nota. ☐ V ☐ F

e. El sforzando es un ángulo abierto a la izquierda. ☐ V ☐ F

f. El contraesforzando es un ángulo abierto a la izquierda. ☐ V ☐ F

g. El filado se utiliza en notas breves. ☐ V ☐ F

h. La coma de respiración se coloca encima del pentagrama. ☐ V ☐ F

i. Los signos de separación son tres: separación pequeña, mediana y grande. ☐ V ☐ F

Notas de adorno: grupetos de tres y cuatro notas

Los **grupetos** son mordentes de tres y cuatro notas, que por grados conjuntos, rodean a la nota principal y se representan por pequeñas semicorcheas o por un signo especial.

El grupeto puede ser **ascendente** cuando empieza con la nota auxiliar inferior y asciende,

o **descendente** cuando empieza por la nota auxiliar superior y desciende.

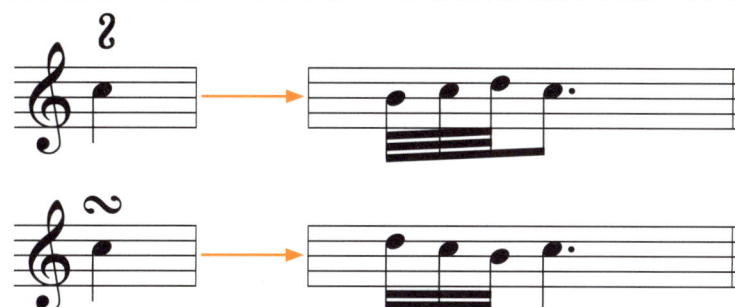

El grupeto es **de 3 notas** cuando el signo está colocado encima de la nota principal o entre dos notas de igual nombre o sonido.

Y es **de 4 notas** cuando la nota principal ya lleva un mordente de su mismo nombre o cuando está colocado entre dos notas de distinto nombre.

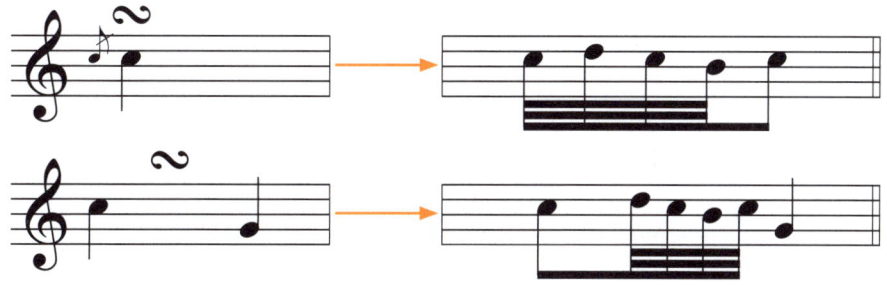

El grupeto puede ser **anterior**, cuando las notitas van delante de la nota principal o el signo se coloca encima de la nota, interpretándose antes de la nota principal

o **posterior** cuando las notitas van detrás de la nota principal o el signo está colocado después de la nota principal.

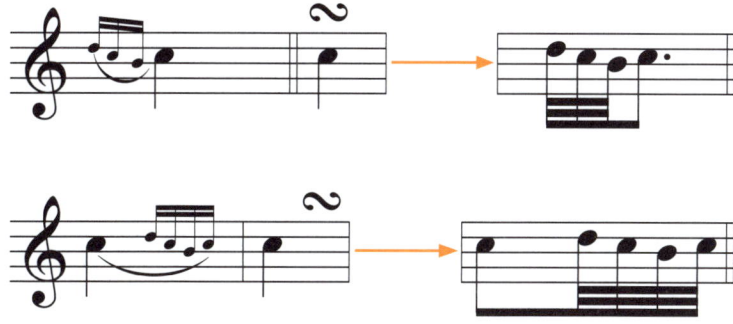

La interpretación es igual que la de los mordentes, rápida y tomando el valor de la nota que adornan o de la anterior según la moda de cada época.

En la interpretación de los grupetos posteriores cuando la nota principal lleva puntillo de prolongación el grupeto resuelve en el puntillo.

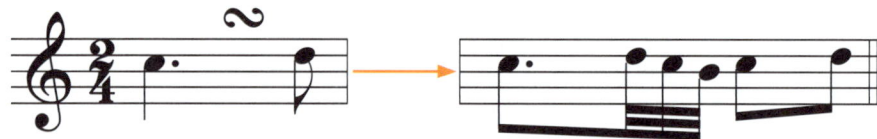

Si el puntillo es de complemento o es un valor simple el grupeto finaliza el valor de la nota principal.

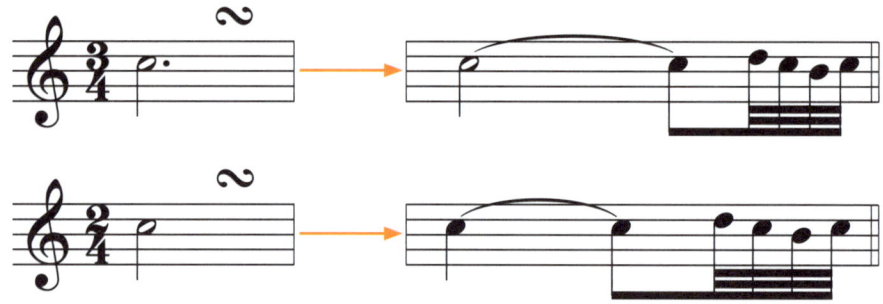

Cuando alguna de las notas va alterada se escribe la alteración arriba del signo para la auxiliar superior y debajo del signo para la auxiliar inferior.

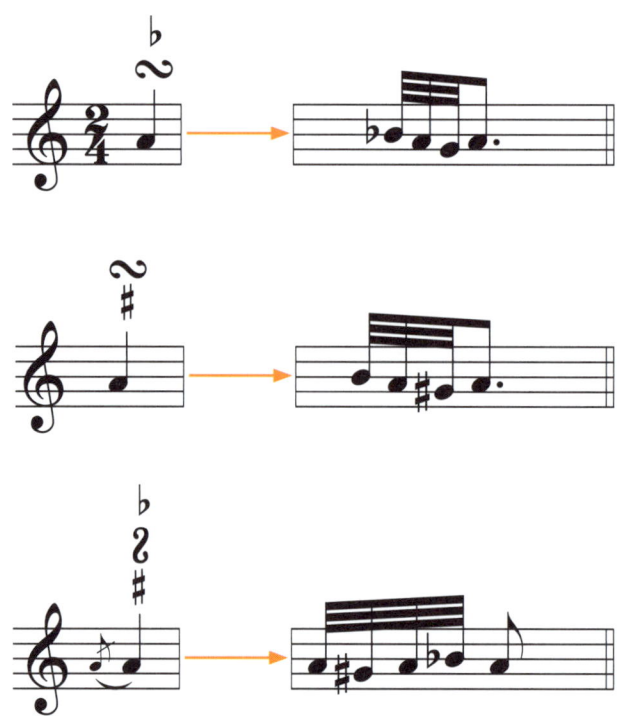

1 Escribe la realización de estos grupetos.

2 Une con líneas el signo con su realización.

A   B

9

Compases de amalgama. Compás de 5/4 y 5/8

Los compases de amalgama están formados por la unión de dos o más compases. Esta suma puede ser de dos o más compases simples, o de dos o más compases compuestos.

$$\frac{5}{4} = \frac{3}{4} + \frac{2}{4} \quad \text{ó} \quad \left(\frac{2}{4} + \frac{3}{4}\right) \qquad \frac{15}{8} = \frac{6}{8} + \frac{9}{8} \quad \text{ó} \quad \left(\frac{9}{8} + \frac{6}{8}\right)$$

La amalgama también puede darse entre compás simple y compuesto como veremos más adelante.

Cuando la amalgama se produce entre compases con la misma unidad de tiempo, se indica con un quebrado, cuyo numerador es la suma de los numeradores de los dos compases manteniéndose el mismo denominador.

$$\frac{7}{4} = \frac{4}{4} + \frac{3}{4} \quad \text{ó} \quad \left(\frac{3}{4} + \frac{4}{4}\right)$$

El orden de los compases sumados se indica al principio: o bien por una línea de puntos o por la acentuación.

Estos compases se marcan con los gestos propios de cada uno de los compases que componen la amalgama, o con tiempos asimétricos.

Tienen la misma unidad de subdivisión y de tiempo. Su unidad de compás es la que resulta de la suma de todos los tiempos.

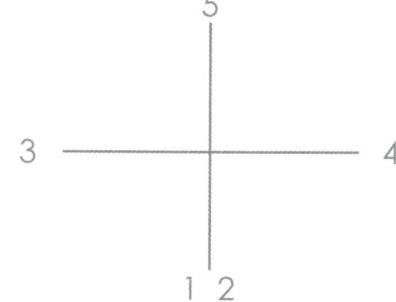

Pueden hacerse distintas combinaciones: 5/4 (3/4+2/4), 5/8 (3/8 + 2/8), 7/4 (3/4 + 4/4), 15/8 (9/8 + 6/8) pero los más utilizados son el 5/4 y el 5/8.

Tanto el 5/4 como el 5/8 son la suma de un compás ternario 3/4 o 3/8 y de uno binario 2/4 o 2/8.

Compases característicos: Zortzico

Los compases característicos son los que nacen de la necesidad de medir ritmos de origen popular.

Uno de ellos es el **Zortzico,** ritmo vasco que se escribe en compás de 5/8 pero con la característica de su acentuación sobre el 1°, 2° y 4° tiempo. Este compás se marca a 3 siendo el primer tiempo la mitad de los otros dos.

Cuadro de intervalos consonantes y disonantes

Los intervalos armónicos están formados por notas que suenan simultáneamente y según su sonoridad o la sensación de estabilidad o inestabilidad que producen se clasifican en:

- **Consonantes** (sensación agradable o de reposo).
- **Disonantes** (sensación de tensión e inestabilidad, requieren resolución en un intervalo consonante).
- **Semiconsonantes** (producen una sensación indefinida y también requieren la resolución en un intervalo consonante).

9

Consonancias	Perfectas	8ª, 5ª, 4ª Justas	8ª J 5ª J 4ª J
	Imperfectas	3ª, 6ª M y m	3ª M 3ª m 6ª M 6ª m
Disonancias	Absolutas	2ª, 7ª M y m	2ª M 2ª m 7ª M 7ª m
	Condicionales	Todos los A y D excepto 4 A y 5ª D. Al enarmonizar uno de los sonidos se convierten en consonancias	3ª A = 4 J 5ª A = 6ª m
Semi-consonancias	Intervalo neutro o disonancia atractiva	4 A y 5 D	4 J 5ª D

Escala de Sol sostenido menor, sus grados tonales y modales. Si escribimos una escala menor a partir de la nota Sol sostenido necesitamos alterar las notas Fa, Do, Sol Re y La con un sostenido, para respetar las distancias de tono y semitono de una escala menor.

y ésta es su armadura.

Para formar la **escala armónica** de Sol sostenido menor alteramos el 7º grado un semitono ascendente por lo que corresponderá un doble sostenido ya que el Fa ya es sostenido en la armadura.

Y para formar la **escala melódica** alteramos el 6º y el 7º grado un semitono ascendente. Recuerda que las escalas melódicas al descender vuelven a ser escalas naturales.

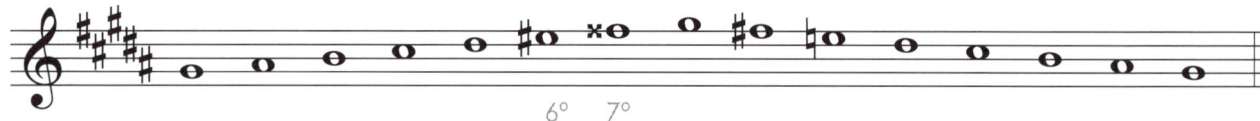

Sobre las notas Sol sostenido, Do sostenido y Re sostenido se forman sus **grados tonales**. Recuerda que en el acorde de dominante el Fa necesita alterarse por ser la **sensible**, en este caso con un doble sostenido.

Y sus **grados modales** son el Si, el Mi y el Fa sostenido.

La **escala relativa** de Sol sostenido menor es Si Mayor, comparten armadura y sus tónicas están a distancia de 3ª menor.

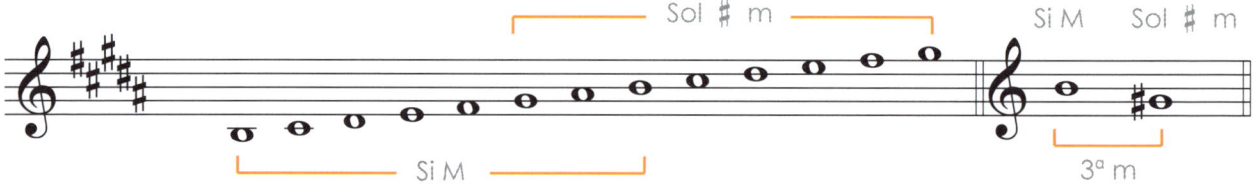

1 Une con flechas los compases de amalgama.

5/4 ●	● 6/8 + 9/8
7/4 ●	● 3/8 + 4/8
15/8 ●	● 3/4 + 2/4
5/8 ●	● 9/8 + 12/8
7/8 ●	● 2/8 + 3/8
21/8 ●	● 4/4 + 3/4

2 ¿Cuál es la acentuación característica del Zortzico?

....

....

3 Completa el cuadro de consonancias y disonancias.

	Imperfectas		
	Absolutas		
		Todos los A y D	
Semi-consonancias			

4 Señala las clases de consonancia o disonancia.

5 Escribe la escala de Sol sostenido menor y señala sus grados modales.

9

Escala pentatónica. Modos pentatónicos

Existen diferentes sistemas de composición musical. Uno de estos sistemas es el sistema pentatónico, basado en la utilización de escalas pentatónicas. La escala **pentáfona o pentatónica** es una de las escalas más antiguas, su tradición continúa vigente en Oriente, especialmente en China, por lo que también se la conoce como "la escala china" (Prueba a tocar cualquier melodía sobre las 5 teclas negras del piano y comprobarás la sonoridad de esta escala). Esta escala tiene 5 sonidos (penta= 5 y tone= nota o sonido) y su característica principal es la ausencia de la distancia de semitono; en estas escalas solo aparecen las distancias de tono y de 3ª menor.

Esta es la escala pentatónica fundamental o **modo pentatónico de Do**.

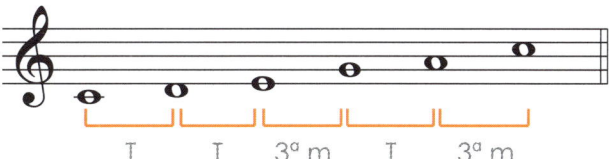

A partir de cualquiera de los sonidos del modo de Do se forman los otros cuatro modos pentatónicos.

Por lo tanto son **5 modos pentatónicos**: modo de Do, de Re, de Mi, de Sol y de La. Como puedes observar todos los modos tienen 3 tonos y 2 terceras menores.

Al igual que ocurre con los modos mayor y menor, también se pueden formar escalas pentatónicas desde cualquier sonido respetando las distancias del modo pentatónico elegido.

Ejemplos:

1. Escala pentatónica de Mi bemol en modo pentatónico de Do.

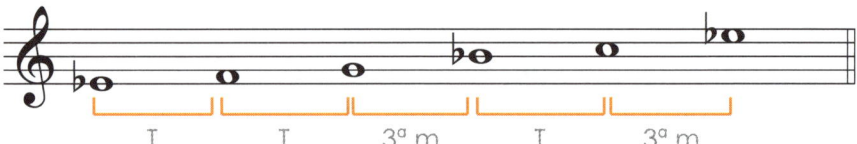

2. Escala pentatónica de Fa sostenido en modo pentatónico de Re.

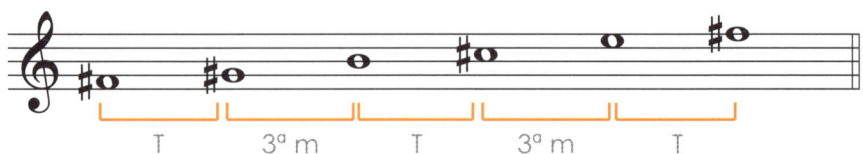

3. Escala pentatónica de La en modo pentatónico de Mi.

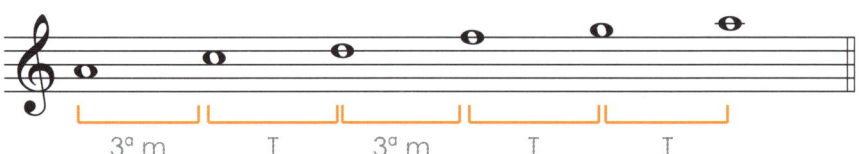

Notas de adorno: el trino

El trino se escribe con el signo *tr seguido de una línea ondulada* e indica ejecución rápida y alternativa de la nota principal y de su inmediata superior.

El trino puede empezar:

- por la nota real

- por la auxiliar superior

- por la auxiliar inferior

y termina siempre con la nota principal.

Puede llevar notas de preparación

y también de resolución

o de preparación y resolución.

Si el trino lleva una notita pequeña entre paréntesis indica trino inferior.

El trino generalmente suele comenzar sobre la nota auxiliar en música antigua y sobre la principal en música moderna.

Cuando el trino lleva alguna nota de preparación puede hacerse sobre el tiempo o anticipando su ejecución.

La duración del trino ha de ser la misma que la de la nota trinada, salvo que ésta lleve puntillo, en cuyo caso el trino termina sobre el valor del puntillo.

Si la nota auxiliar del trino ha de ser alterada, la alteración se coloca sobre el signo del trino.

1. Escribe la escala pentatónica de Fa en modo pentatónico de Sol.

2. Escribe la escala pentatónica de Mi en modo pentatónico de La.

3. Une con flechas.

4. Señala Verdadero o Falso:

   a. El trino nunca puede empezar por la nota real. ☐ V ☐ F
   b. El trino termina siempre con la nota principal. ☐ V ☐ F
   c. El trino no puede llevar notas de preparación y de resolución. ☐ V ☐ F
   d. El trino es inferior si lleva una notita entre paréntesis que lo indique. ☐ V ☐ F
   e. El trino suele comenzar sobre la nota real en música antigua. ☐ V ☐ F
   f. Si la nota trinada lleva puntillo el trino termina sobre el valor del puntillo. ☐ V ☐ F

Equivalencias con cambio y sin cambio de movimiento

Las **equivalencias** se colocan sobre el pentagrama para expresar un cambio de movimiento (tempo) o para indicar en un cambio de compás que el movimiento no varía. Se representan por dos figuras de igual o distinto valor con el signo = entre ellas.

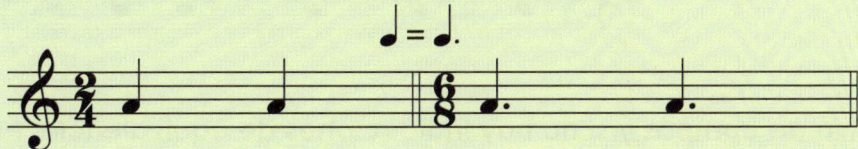

Suelen escribirse sobre la doble barra que indica el cambio de compás, pero también podemos encontrar las equivalencias a lo largo de un fragmento sin cambio de compás.

Las figuras deben representar una unidad: de subdivisión, de tiempo o de compás.

Indicación con las **dos figuras iguales**:

1. **No hay cambio de movimiento** si los compases tienen la misma unidad de tiempo.

2. **Hay cambio de movimiento** si hay cambio de compás con distinta unidad de tiempo. En este caso la negra que valía un tiempo en el 4/4 pasa a valer un tercio de tiempo; el movimiento es pues triplemente lento.

Indicación con las **dos figuras distintas**:

1. **No hay cambio de movimiento** si la partitura indica equivalencia de unidades de tiempo, UT=UT.

2. Hay cambio de movimiento:

a. Sin cambio de compás, en este caso la duración de la negra pasa a ser la de la corchea, el movimiento resultará doblemente lento.

b. Con cambio de compás y si no hay indicaciones de equivalencia, en este caso la negra que valía un tiempo pasa a valer un tercio de tiempo, el movimiento será triplemente lento.

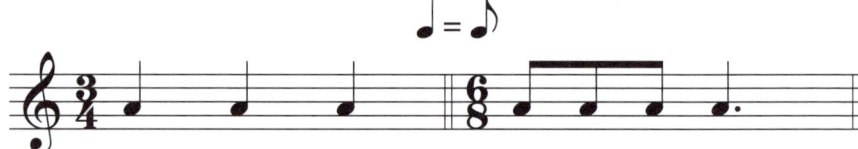

Debemos recordar que antiguamente cuando no existía ninguna indicación especial de movimiento, éste derivaba de la relación de los denominadores entre los compases, el 2/2 era el doble de lento que el 2/4, y el 2/8 era el doble de rápido que el 2/4.

10

Compás de amalgama característico: 6/8+3/4 Peteneras

Otra de las amalgamas características nace de la necesidad de medir el ritmo de **"Peteneras"**, cante flamenco triste y melancólico, su ritmo está formado por la alternancia de un compás de 6/8 y otro de 3/4. Observa la diferente acentuación de las corcheas en ambos compases.

Se marca con los movimientos propios de cada compás y la equivalencia entre ellos será,

por lo que resultará más rápido el movimiento en el 3/4 para mantener la igualdad de la corchea.

Intervalos compuestos: reducción, ampliación e inversión

Son los que exceden el ámbito de la 8ª.

Para saber la calificación de un intervalo compuesto hay que reducirlo a simple.

Reducir un intervalo se puede hacer de dos formas:

a. bajando el sonido superior tantas octavas como sean necesarias para que resulte un intervalo simple.

b. subiendo el sonido inferior tantas octavas como sean necesarias para que resulte un intervalo simple.

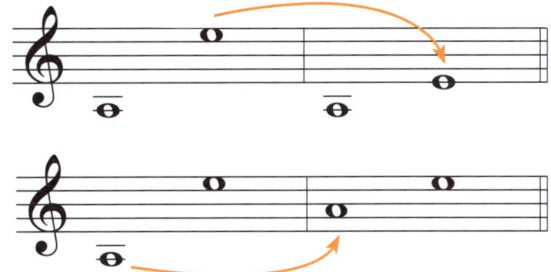

Para conocer la distancia interválica que resulta de la reducción, se resta al intervalo compuesto la cifra 7 tantas veces como octavas se haya de reducir.

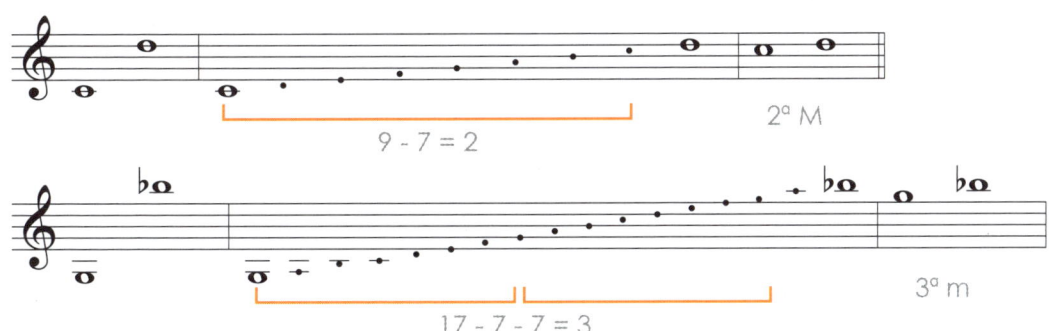

$9 - 7 = 2$ 2ª M

$17 - 7 - 7 = 3$ 3ª m

A cada intervalo compuesto le corresponde el mismo calificativo que al simple.

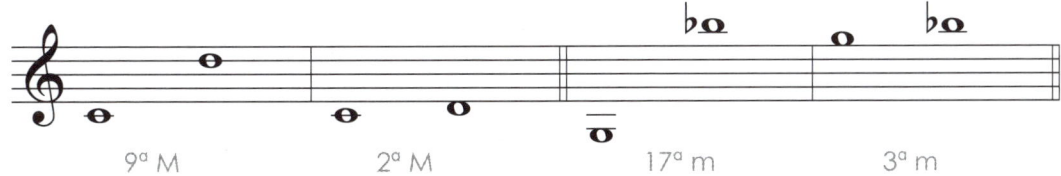

9ª M   2ª M   17ª m   3ª m

Ampliar un intervalo es la operación inversa y también se puede hacer de dos formas:

a. subiendo el sonido superior tantas octavas como tengamos que ampliarlo.

b. bajando el sonido inferior tantas octavas como tengamos que ampliarlo.

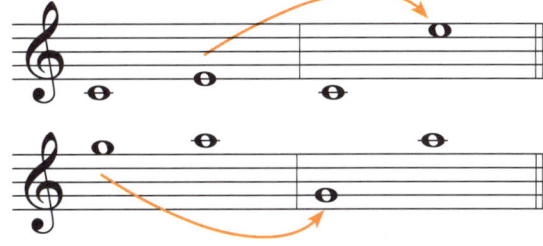

Para conocer la distancia interválica que resulta de la ampliación, se suma al intervalo simple la cifra 7 tantas veces como octavas se haya de ampliar.

Ejemplos:

1. ampliar una octava.

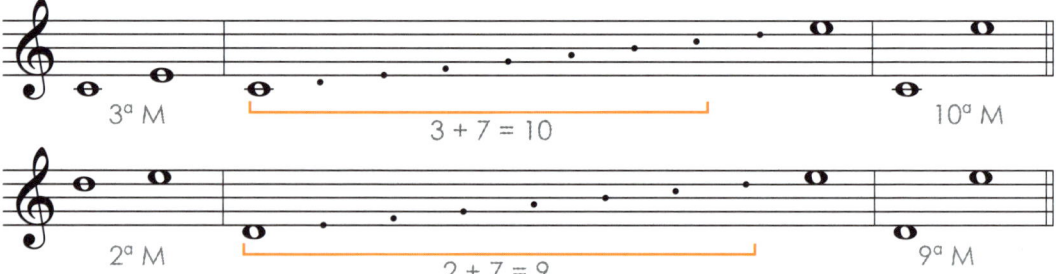

3ª M   3 + 7 = 10   10ª M

2ª M   2 + 7 = 9   9ª M

2. ampliar dos octavas.

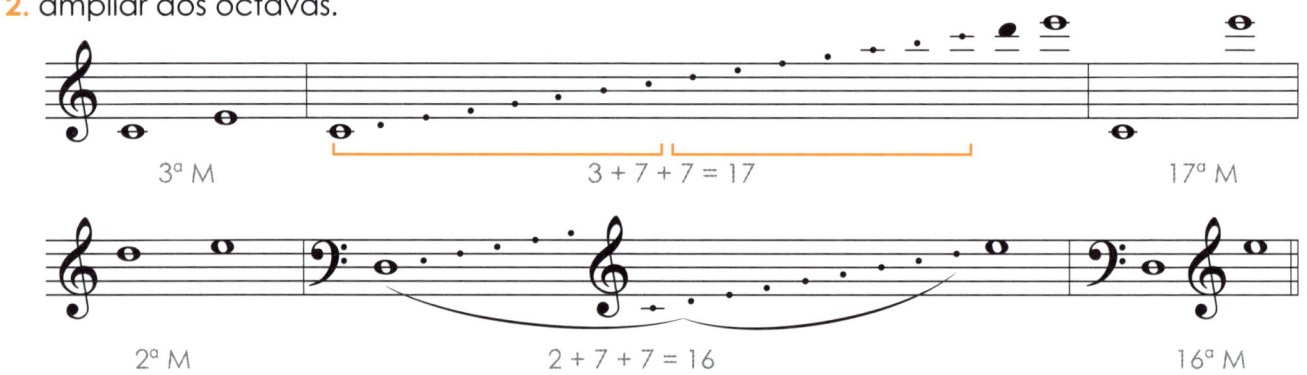

3ª M   3 + 7 + 7 = 17   17ª M

2ª M   2 + 7 + 7 = 16   16ª M

El intervalo ampliado tiene la misma calificación que el simple.

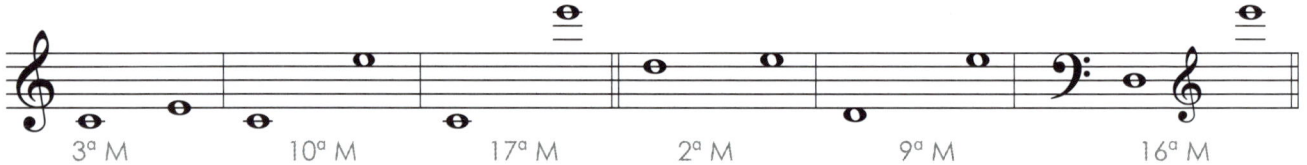

3ª M   10ª M   17ª M   2ª M   9ª M   16ª M

Para **invertir un intervalo compuesto** hay que:

- reducirlo a simple y calificarlo.

- invertirlo y calificarlo.

- volverlo a ampliar tantas octavas como haya sido reducido y calificarlo.

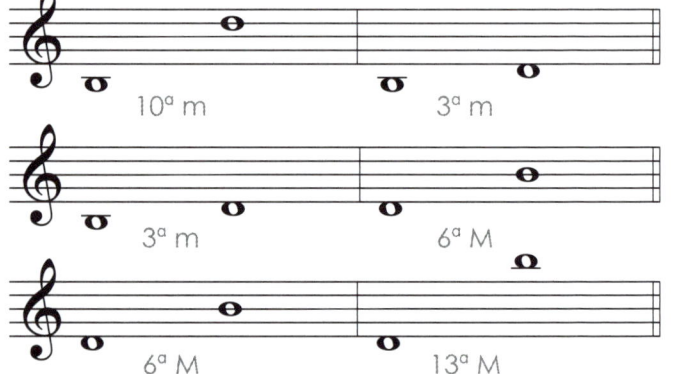

10ª m   3ª m

3ª m   6ª M

6ª M   13ª M

Recuerda que al ampliar o reducir intervalos la calificación es la misma, pero al invertirlos la calificación cambia, los M pasan a ser m y los m a M, los A pasan a D y los D a A, y los J no cambian.

Ejemplos: a)

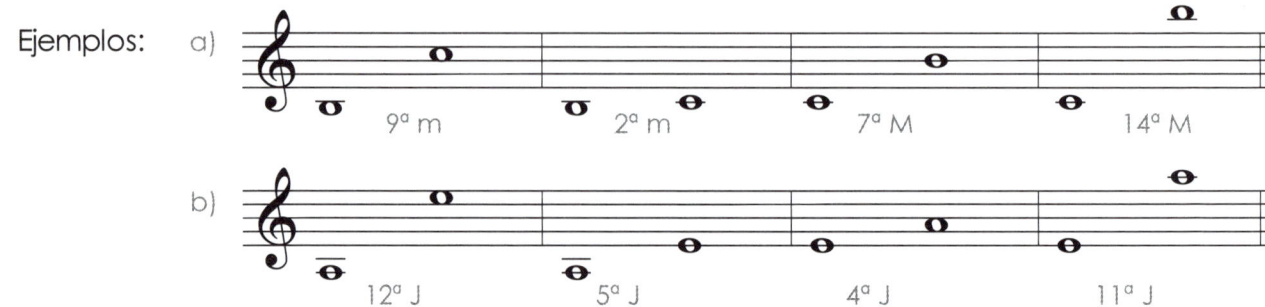

9ª m   2ª m   7ª M   14ª M

b)

12ª J   5ª J   4ª J   11ª J

1 Escribe las equivalencias necesarias para que el movimiento no varíe.

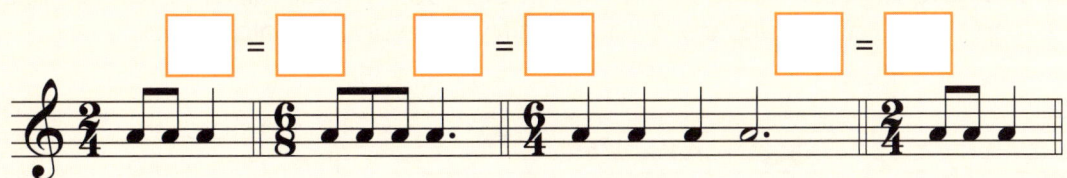

2 Explica si hay cambio de movimiento en estos casos y si lo hay por qué.

....

....

....

3 Reduce estos intervalos y califícalos.

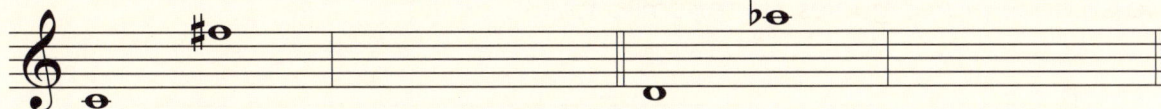

4 Amplía estos intervalos dos octavas y califícalos.

5 Invierte estos intervalos y califica cada uno de ellos.

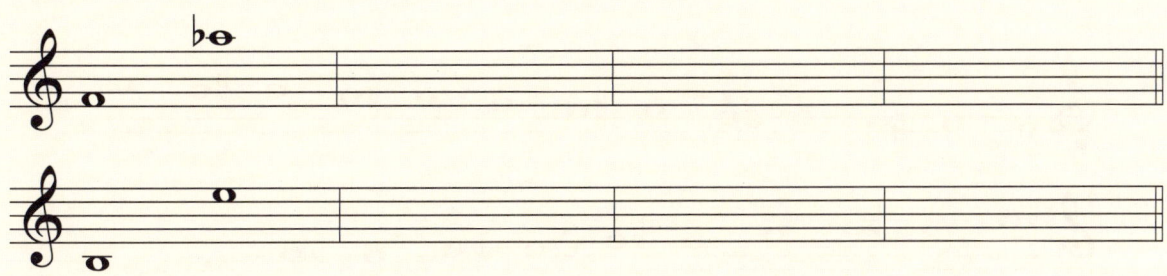

Escala de Re bemol Mayor, sus grados tonales y modales. Si escribimos una escala mayor a partir de la nota Re bemol necesitaremos alterar con un bemol las notas Si, Mi, La, Re y Sol para respetar las distancias de tono y semitono de una escala mayor.

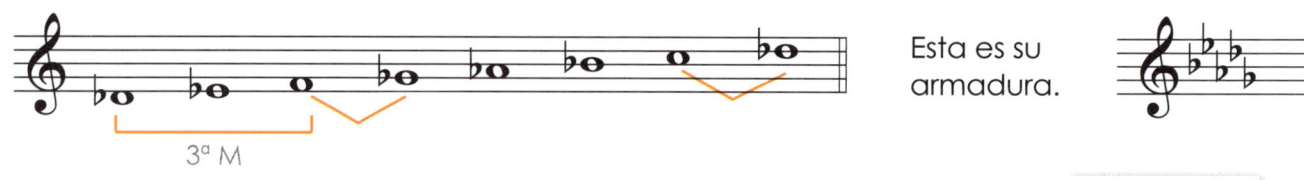

Esta es su armadura.

Recuerda:

Entre la tónica y el tercer grado siempre hay una 3ª Mayor.

Estos son sus **grados tonales**.

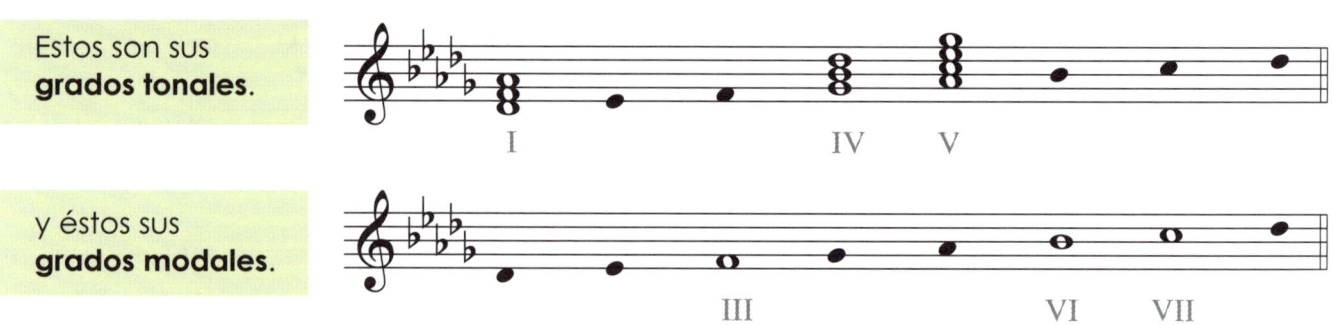

y éstos sus **grados modales**.

Escala cromática y exátona

La **escala cromática** es la que contiene todos los sonidos posibles dentro del ámbito de una octava, está formada por doce notas a distancia de semitono, la octava queda dividida en doce partes iguales, doce semitonos.

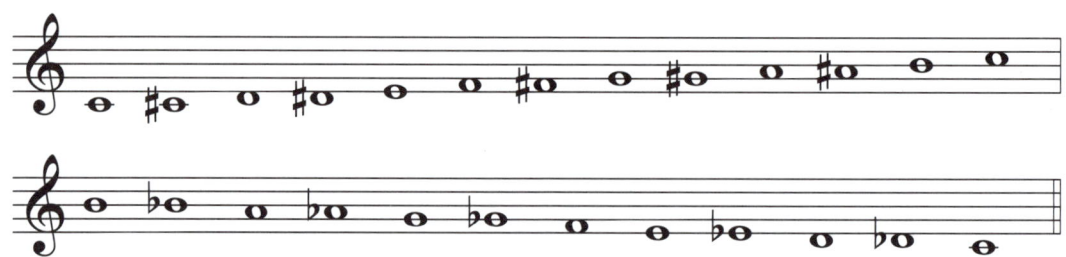

Como ves se escriben sostenidos en sentido ascendente y bemoles en sentido descendente. Esta escala puede empezarse desde cualquiera de sus notas respetando la distancia de semitono.

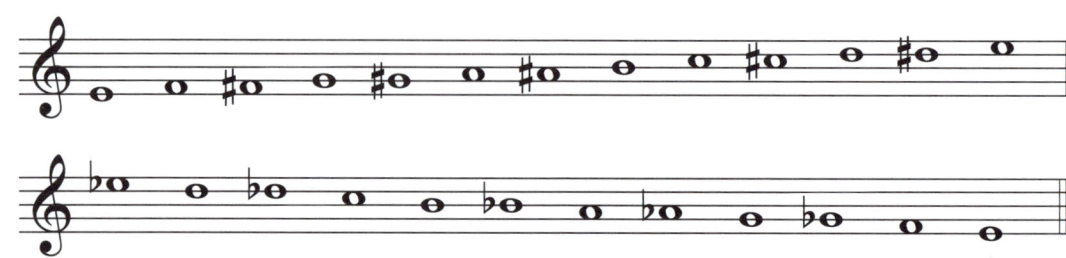

Observa qué ocurre si dividimos la octava en seis partes iguales.

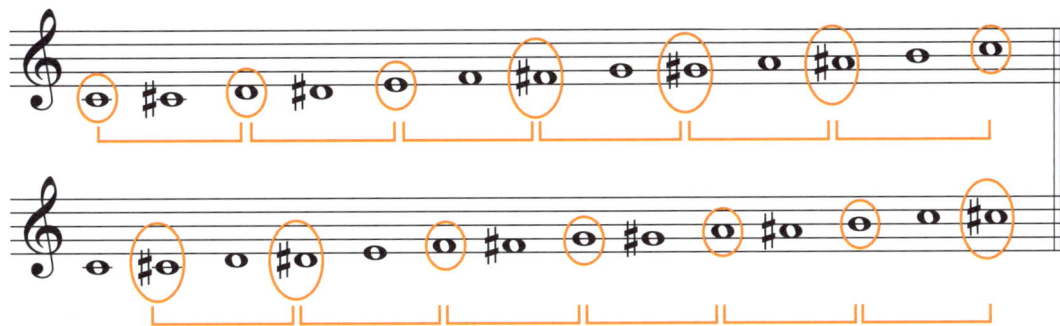

La distancia entre las notas será de tono. La escala que resulta es la **escala exátona**, formada por tonos enteros. Esta escala tiene dos modelos el primero empezando en un sonido natural y el segundo en un sonido alterado

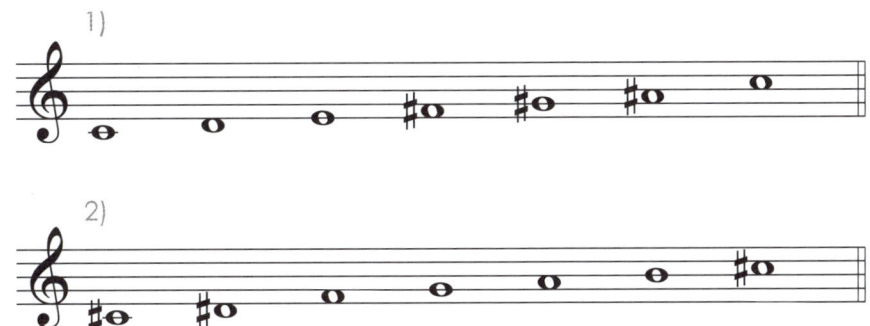

y al igual que la escala cromática puede empezarse desde cualquiera de sus notas respetando la distancia de tono.

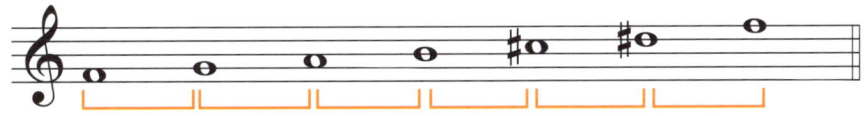

Tanto la escala cromática como la exátona no son escalas ni mayores ni menores, en ellas no se producen centros de atracción como el de sensible-tónica.

Notas de adorno: fermata o cadenza y fioritura

La **fermata o cadencia** es un fragmento más o menos largo dentro de la obra musical escrito con notas pequeñas, sin barras de compás, precedidas de un calderón y con grandes dificultades técnicas. Su interpretación es "ad libitum", para lucimiento del solista.

sempre con gran espressione

Cadenza

10

Una especie menor de fermata o cadencia es la **fioritura**, grupo pequeño de notas que no puede clasificarse como ninguna de las notas de adorno estudiadas.

1 Escribe la escala de Re bemol mayor. Señala sus grados tonales y modales.

2 Escribe la escala cromática de Fa.

3 Escribe la escala exátona de Sol.

4 Escribe la escala exátona de Fa sostenido.

10

5 Señala Verdadero o Falso:

a. La fioritura es un pasaje más largo que la fermata. ☐ V ☐ F
b. La fermata se escribe antes de un calderón. ☐ V ☐ F
c. La interpretación de la cadencia es "ad libitum". ☐ V ☐ F
d. La fermata o cadencia no tiene dificultades técnicas. ☐ V ☐ F
e. La cadencia se escribe para lucimiento del solista. ☐ V ☐ F

Notas de adorno: arpegiado, glissando, portamento y trémolo

Aunque no suelen considerarse propiamente notas de adorno, aquí tienes la interpretación de los siguientes términos:

El arpegiado es la ejecución sucesiva, muy rápida y con igualdad de valores de un acorde manteniendo su sonido.

Generalmente su interpretación es en sentido ascendente, si el arpegiado es descendente se indica de alguna de estas formas.

El glissando entre dos notas consiste en recorrer todos los sonidos que abarcan esas dos notas deslizándose muy rápidamente. En el piano el glissando puede ser sobre teclas blancas o sobre teclas negras.

El portamento es un efecto similar al glissando en el que no se distinguen los tonos y semitonos. Es un efecto típico de la voz. Ambos términos se emplean indistintamente.

El trémolo es la repetición rapidísima alternada de dos notas.

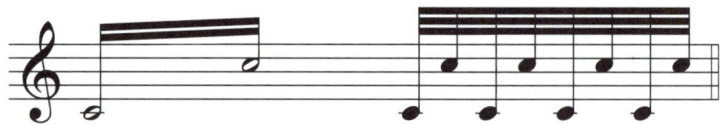

Escala de Si bemol menor, sus grados tonales y modales. Si escribimos una escala menor a partir de la nota Si bemol necesitamos alterar las notas Si, Mi, La, Re y Sol con un bemol para respetar las distancias de tono y semitono de una escala menor.

y ésta es su armadura.

Para formar la **escala armónica** de Fa menor alteramos el 7° grado,

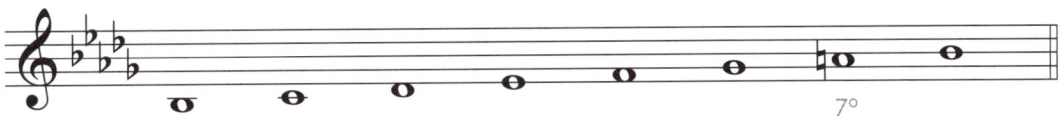

y para formar la **escala melódica** alteramos el 6° y el 7° en sentido ascendente, la escala vuelve a ser una escala natural en sentido descendente.

Sobre las notas Si bemol, Mi bemol y Fa se forman sus **grados tonales**.

y sus **grados modales** son el Re bemol, Sol bemol y La bemol.

Su **escala relativa** es Re bemol Mayor,

y su **escala homónima** es Si bemol Mayor.

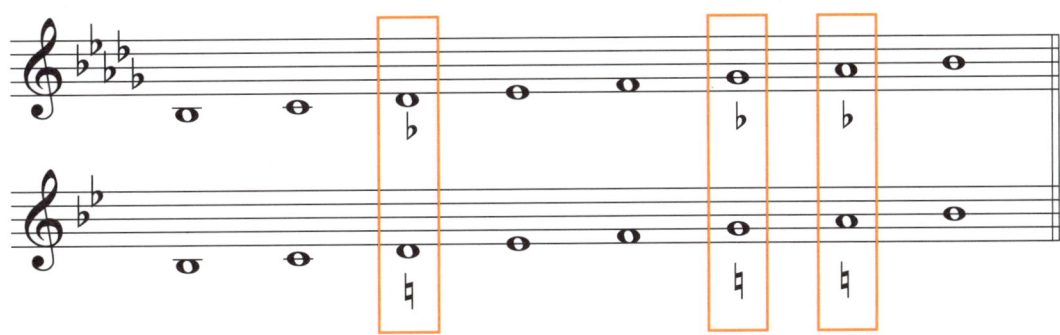

Repaso tonalidades dadas

Con esta última tonalidad Si bemol menor ampliamos la rueda de tonalidades hasta las que tienen 5 alteraciones en la armadura.

Observa la rueda y recuerda:

Do M
Fa M   Sol M
La m
Re m   Mi m
Si♭M   Re M
Sol m   Si m
Mi♭M   Do m   Fa#m   La M
La♭M   Fa m   Do#m   Mi M
Si♭M   Sol#m
Re♭M   Si M

11

Tonos vecinos son los que se diferencian por una alteración en su armadura, y son: el relativo de la tonalidad de origen más los que se encuentran a distancia de 5ª Justa ascendente y descendente y sus relativos.

Como puedes ver éstos coinciden con los que están a la derecha e izquierda en la rueda de tonalidades, cada tonalidad tiene 5 tonalidades vecinas. Con fondo blanco puedes ver los tonos vecinos de Do Mayor.

Si te fijas bien, verás que en la rueda de tonalidades también podemos encontrar los **tonos homónimos**, son los que están separados por tres 5ª Justas, un tono en modalidad Mayor y otro en modalidad menor.

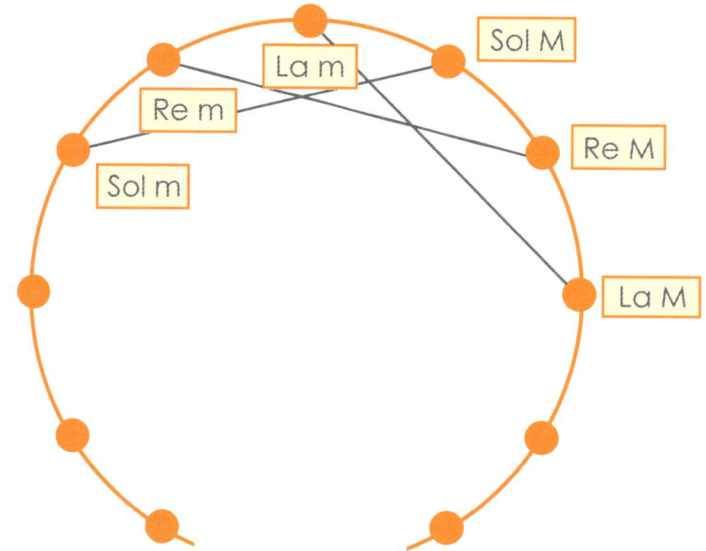

1 Señala Verdadero o Falso:

   a. El arpegiado solo puede interpretarse ascendentemente.   ☐ V ☐ F

   b. El glissando solo puede interpretarse en el piano   ☐ V ☐ F
       sobre teclas negras.

   c. El portamento es un efecto similar al glissando.   ☐ V ☐ F

   d. El trémolo es la repetición alternada de dos notas.   ☐ V ☐ F

2 Escribe la escala de Si bemol menor y señala sus grados tonales.

3 Escribe la escala de Si bemol menor y su homónima y señala sus diferencias.

11

4 Completa estos cuadros de tonos vecinos.

4♭		
	Do m	
		V

	Mi M	
		Sol♯m
IV		

Repaso de escalas:
modales, pentáfonas, cromáticas, exátonas, menor oriental, hispano-árabe y mixtas.

Escalas modales: son las 7 escalas o "modos naturales" derivadas de cada uno de los sonidos de la escala de Do.

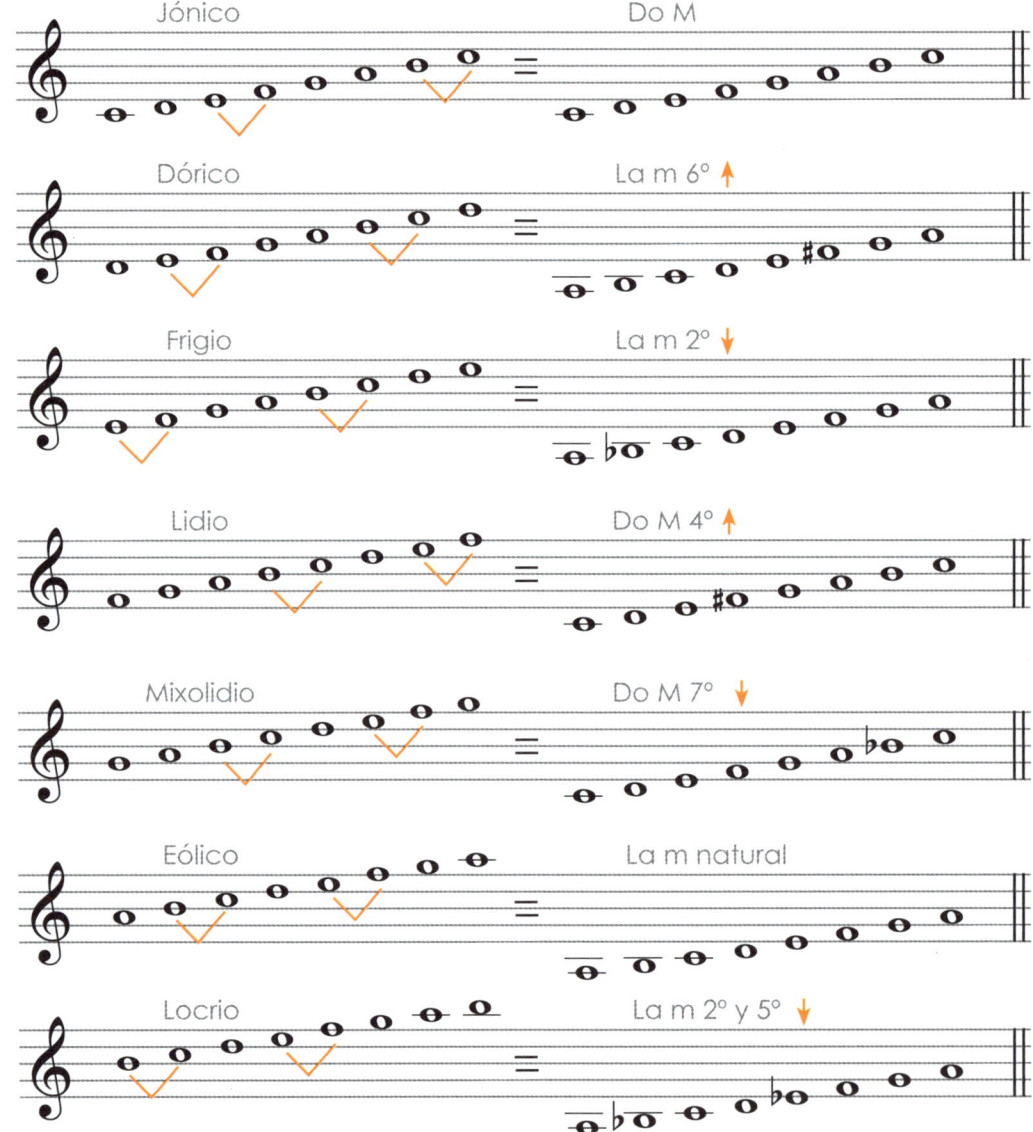

Puedes compararlos con los modos mayor y menor para ayudarte a recordarlos:

Jónico: igual a nuestro modo Mayor.
Dórico: como nuestro modo menor natural con la 6ª nota elevada, considerado como el 4º tipo de escala menor.
Frigio: como nuestro modo menor con la 2ª nota rebajada un semitono.
Lidio: como el modo Mayor con la 4ª nota elevada.
Mixolidio: igual al modo Mayor con la 7ª nota rebajada.
Eólico: igual a nuestro modo menor natural.
Locrio: como nuestro modo menor con la 2ª y 5ª nota rebajadas.

Recuerda:

Escalas pentáfonas o pentatónicas: Tienen 5 sonidos y su característica principal es la ausencia de semitono; en estas escalas solo aparecen las distancias de tono y de 3ª menor. Esta es la escala pentatónica fundamental o modo de Do.

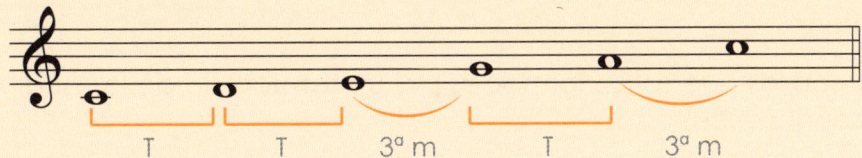

A partir de los otros cuatro sonidos del modo de Do se forman los otros cuatro modos pentatónicos.

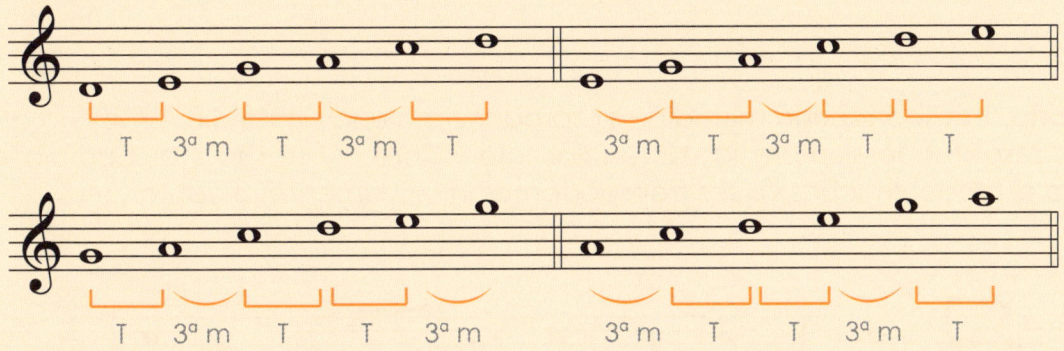

Escala cromática: Está formada por doce notas a distancia de semitono.

Escala exátona: Está formada por seis notas a distancia de tono. Tiene dos modelos según empiece la escala en un sonido natural o en uno alterado.

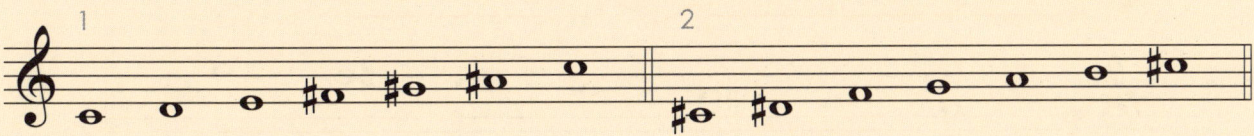

Escala menor oriental: es como una escala menor natural con el 4º y el 7º grados alterados ascendentemente un semitono.

Escala hispano-árabe: es como una escala Mayor con el 2º y 6º grados alterados descendentemente un semitono.

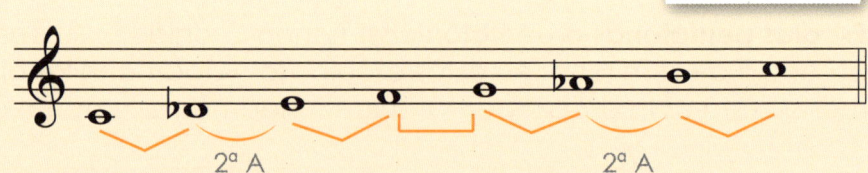

Escalas mixtas: son las que están formadas por un tetracordo de la escala Mayor y otro de la escala menor o viceversa.

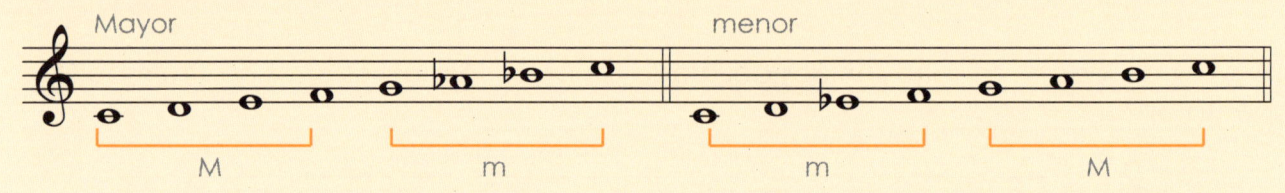

Transporte. Transportar una melodía es reproducirla a una altura diferente a la que está escrita, respetando siempre las distancias interválicas. Al transportar cambia el tono pero no el modo. Muchas veces transportamos intuitivamente al cantar.

También todas las escalas estudiadas pueden transportarse a otras alturas, respetando siempre las distancias interválicas del modelo.

Ejemplos: Modo natural Lidio en tono de Sol, o escala menor oriental de Sol.

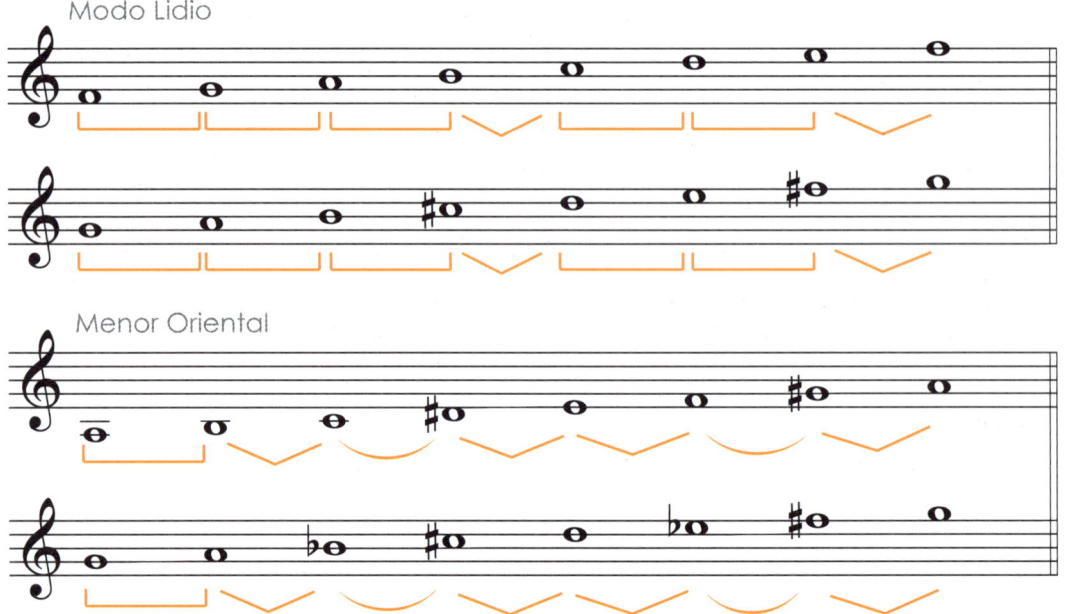

1   Escribe la escala dórica de Fa.

2   Escribe la escala pentatónica de Fa en modo de Re.

3   Escribe la escala cromática de Do.

4   Escribe la escala exátona de Re.

11

5   Escribe la escala menor oriental de Mi.

6   Escribe la escala hispano-árabe de Fa.

7   Escribe la escala Mayor mixta de Sol.

Recuerda:

Repaso de intervalos simples y compuestos. Esta tabla te ayudará a recordar la calificación de los intervalos simples y su inversión.

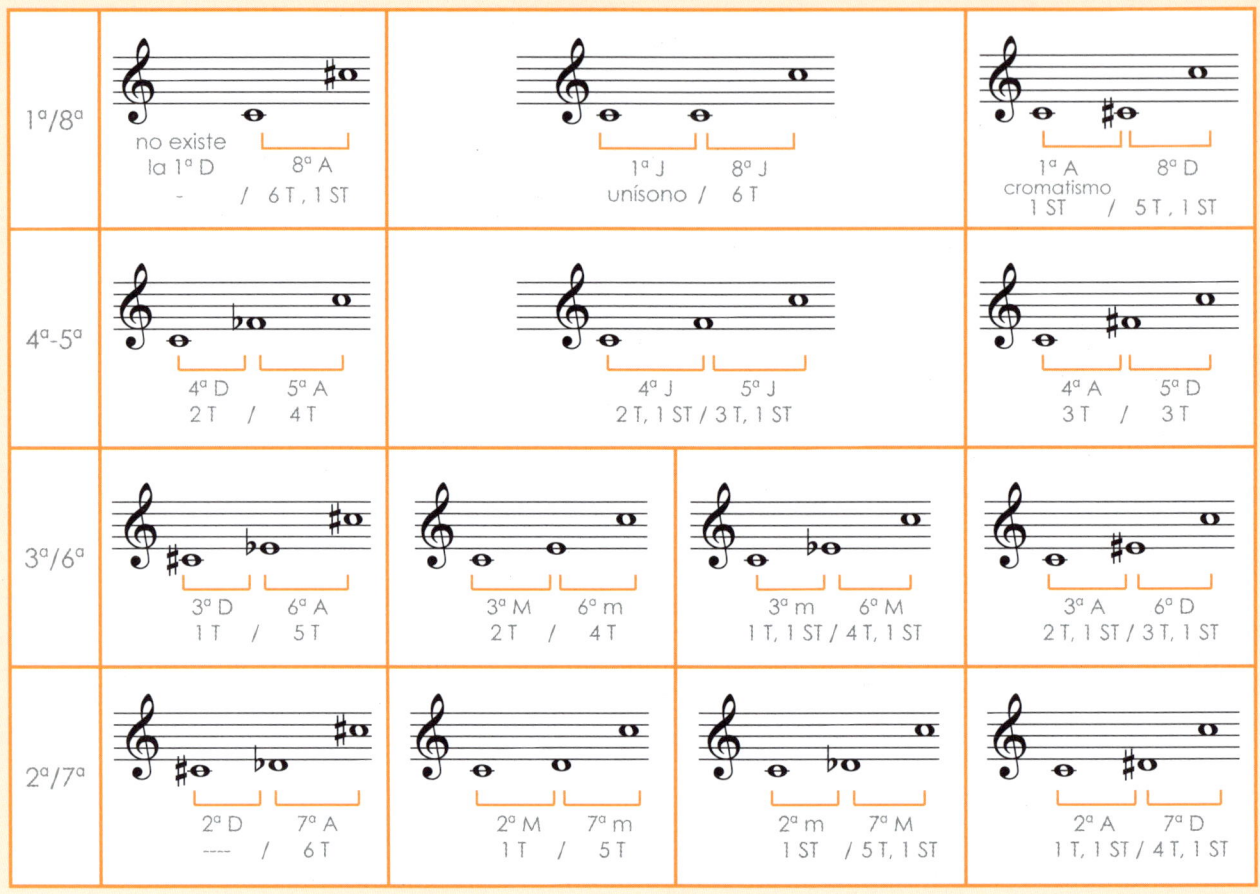

Recuerda que para calificar un intervalo compuesto debes reducirlo, acercando uno de los sonidos lo necesario para que resulte simple. Al intervalo compuesto le corresponde el mismo calificativo que al simple.

No olvides que los intervalos armónicos se clasifican de esta manera:

Consonancias	Perfectas	8ª, 5ª, 4ª Justas
	Imperfectas	3ª, 6ª M y m
Disonancias	Absolutas	2ª, 7ª M y m
	Condicionales	Todos los A y D excepto 4 A y 5ª D. Al enarmonizar uno de los sonidos se convierten en consonancias
Semiconsonancias	Intervalo neutro o disonancia atractiva	4 A y 5 D

Recuerda:

Repaso de los compases regulares simples y compuestos. En este cuadro puedes recordar los doce compases regulares simples y los doce compuestos, con sus unidades de subdivisión, de tiempo y de compás. Todo compás simple tiene su correspondiente compuesto y viceversa, son los que tienen el mismo número de tiempos y la misma unidad de subdivisión, las unidades de tiempo son las mismas pero en el compuesto es una figura con puntillo.

Compases simples

	U.S.	U.T.	U.C.		U.S.	U.T.	U.C.
2/1	♩	𝅝	‖𝅝‖	2/2	♩	♩	𝅝
3/1	♩	𝅝	‖𝅝‖·	3/2	♩	♩	𝅝·
4/1	♩	𝅝	𝅜	4/2	♩	♩	‖𝅝‖

	U.S.	U.T.	U.C.		U.S.	U.T.	U.C.
2/4	♪	♩	♩	2/8	♬	♪	♩
3/4	♪	♩	♩·	3/8	♬	♪	♩·
4/4	♪	♩	𝅝	4/8	♬	♪	♩

Compases compuestos

	U.S.	U.T.	U.C.		U.S.	U.T.	U.C.
6/2	♩	𝅝·	‖𝅝‖·	6/4	♩	♩·	𝅝·
9/2	♩	𝅝·	‖𝅝‿𝅝‖·	9/4	♩	♩·	𝅝‿♩·
12/2	♩	𝅝·	𝅜·	12/4	♩	♩·	‖𝅝‖·

	U.S.	U.T.	U.C.		U.S.	U.T.	U.C.
6/8	♪	♩·	♩·	6/16	♬	♪·	♩·
9/8	♪	♩·	♩·‿♩·	9/16	♬	♪·	♪‿♪
12/8	♪	♩·	𝅝·	12/16	♬	♪·	♩·

Repaso de los grupos de valoración especial. En este cuadro tienes los grupos de valoración especial regulares e irregulares y su equivalencia. Recuerda que los irregulares admiten más variantes.

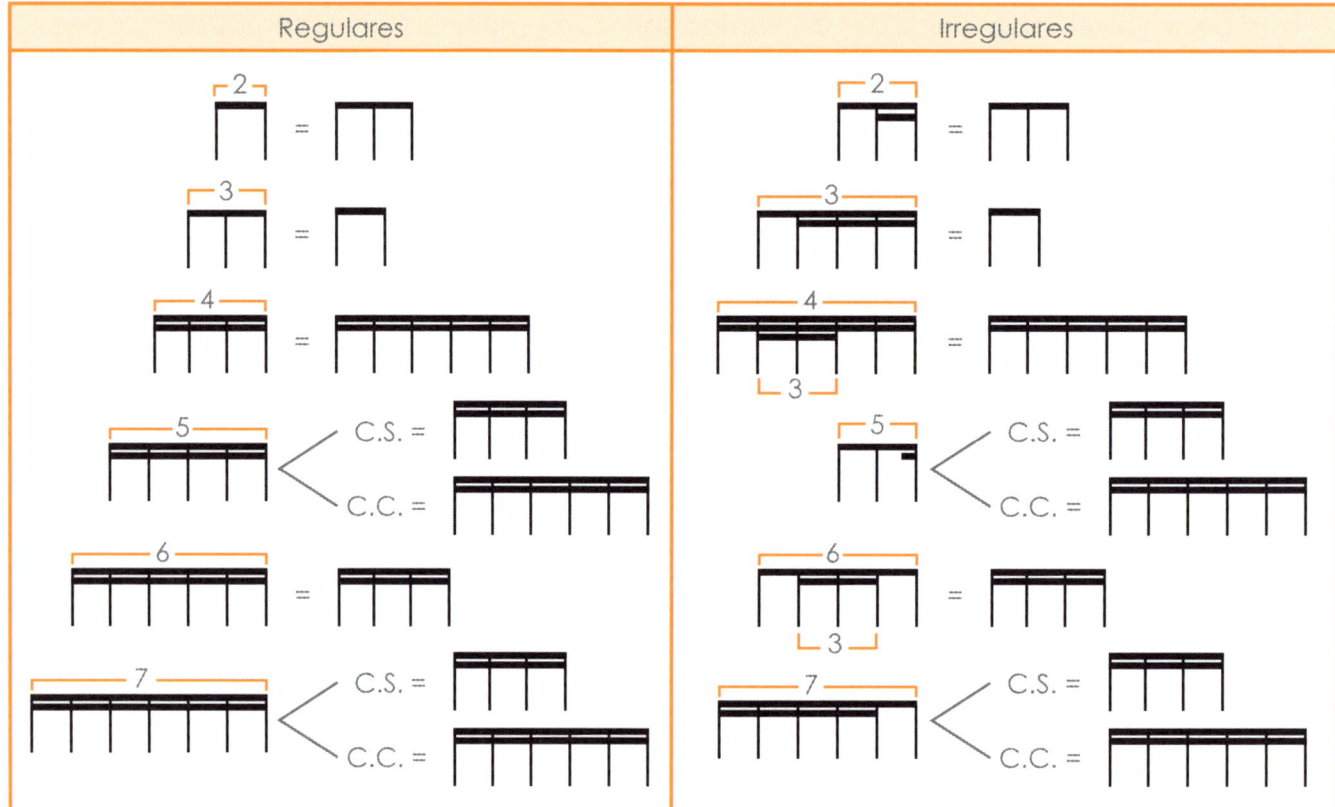

Regulares	Irregulares

Son **excedentes** cuando es mayor el número de figuras que el de su equivalencia, y **deficientes** cuando es menor el número de figuras que el de su equivalencia.

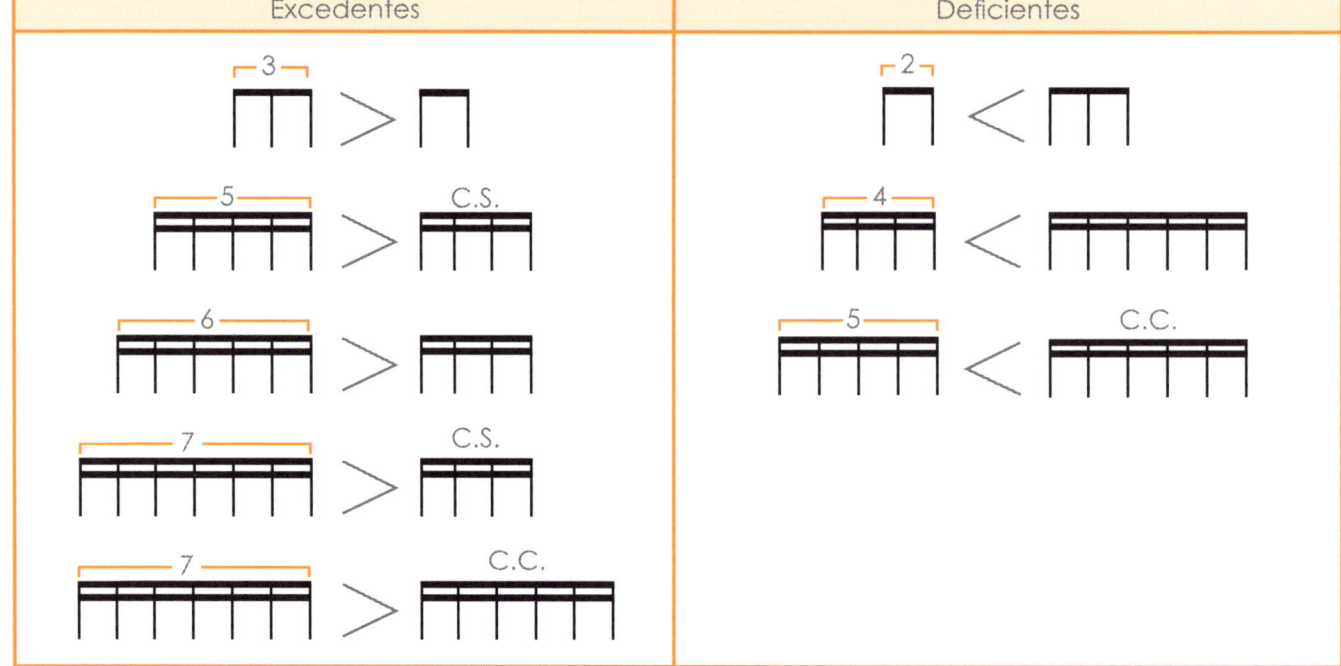

Excedentes	Deficientes

12

1 Califica e invierte estos intervalos.

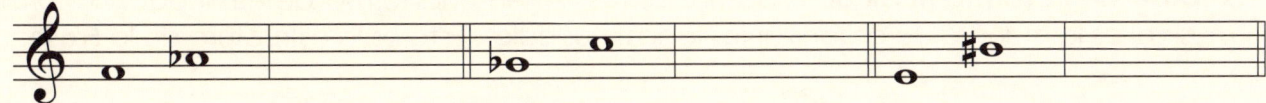

2 Califica estos intervalos armónicos.

3 Escribe las unidades de subdivisión, tiempo y compás de:

$\frac{6}{4}$
U. S.
U. T.
U. C.

$\frac{2}{8}$
U. S.
U. T.
U. C.

$\frac{2}{1}$
U. S.
U. T.
U. C.

$\frac{9}{8}$
U. S.
U. T.
U. C.

$\frac{12}{16}$
U. S.
U. T.
U. C.

$\frac{3}{2}$
U. S.
U. T.
U. C.

4 Escribe el compás correspondiente de:

$\frac{2}{2}$ $\longrightarrow$

$\frac{4}{8}$ $\longrightarrow$

$\frac{12}{4}$ $\longrightarrow$

$\frac{9}{16}$ $\longrightarrow$

$\frac{6}{8}$ $\longrightarrow$

$\frac{3}{4}$ $\longrightarrow$

5 Completa cada compás con un grupo irregular distinto.

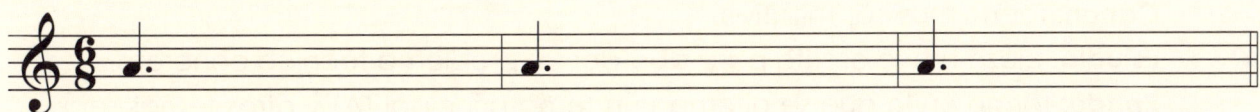

Recuerda:

Repaso de la Forma Musical. Todas las obras tienen una forma determinada. La forma musical es la manera de organizar las ideas musicales. Ésta es la estructura de la **Frase**:

Frase 8 c

Semifrase 4 c | Semifrase 4 c

Motivo | Motivo | Motivo | Motivo

2 c | 2 c | 2 c | 2 c

Una melodía puede ser:

Primaria: tiene una sola frase, es común en pequeñas piezas como la Canción.

A

a | b

Binaria: dos frases, típica de la canción con estribillo (A) y estrofa (B).

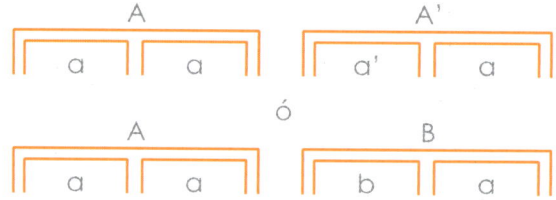

A | A'
a | a | a' | a

ó

A | B
a | a | b | a

o **Ternaria**: tres frases, es la forma conocida como "Lied ternario".

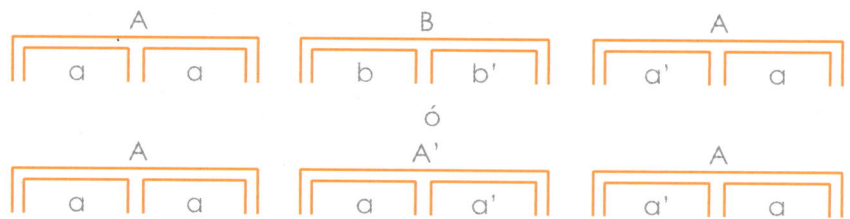

A | B | A
a | a | b | b' | a' | a

ó

A | A' | A
a | a | a | a' | a' | a

Recuerda las formas estudiadas:

Canción o Lied: forma que une la música y la poesía.

Canon: forma musical imitativa.

Estudio: pieza breve escrita para abordar un problema técnico concreto.

Rondó: forma en la que se alternan un tema principal (A) y otros temas secundarios (B,C,D...) su estructura es ABACA...

Tema con variaciones: forma musical con un tema A que va repitiéndose modificado rítmica, melódica, armónica o instrumentalmente, etc.

Recuerda:

Repaso de las notas de adorno. Este cuadro te ayudará a recordar las principales notas de adorno que conoces.

	Escritura	Interpretación
APOYATURA		
MORDENTE 1 nota		
MORDENTE 2 notas		
MORDENTE O GRUPETO 3 notas		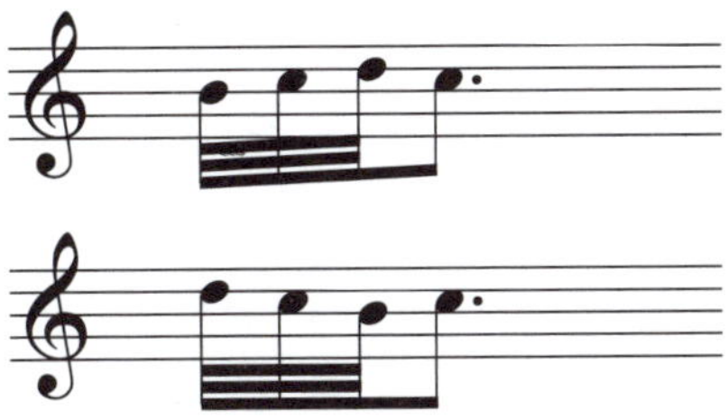
MORDENTE O GRUPETO 4 notas		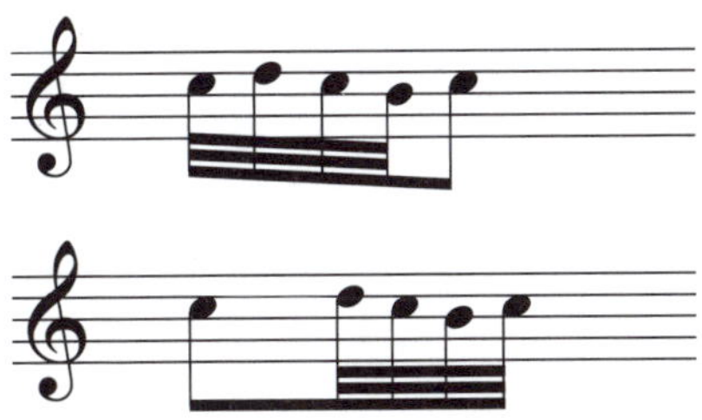
TRINO		

12

1. Completa las frases siguientes:

   a. La frase está formada por .... semifrases o por .... motivos.

   b. Una melodía puede ser ...., binaria o ....

   c. La canción con estrofa y estribillo tiene forma ....

   d. Esta estructura ABACA corresponde a la forma ....

   e. En el Tema con variaciones, el tema es modificado rítmica, ...,

      ...., o ....

2. Señala Verdadero o Falso:

   a. La apoyatura es una nota de adorno que se escribe detrás
      de la nota principal. ☐ V ☐ F

   b. La apoyatura siempre se escribe con una corchea pequeñita. ☐ V ☐ F

   c. El mordente de una nota se representa por medio de una corchea
      o semicorchea barrada. ☐ V ☐ F

   d. El mordente de dos notas no puede escribirse con signos. ☐ V ☐ F

   e. El mordente de dos notas se representa por dos pequeñas
      semicorcheas ligadas a la nota principal. ☐ V ☐ F

   f. A los mordentes de 3 ó 4 notas se les llama también grupetos. ☐ V ☐ F

   g. El grupeto puede ser ascendente o descendente. ☐ V ☐ F

   h. El grupeto puede ser anterior pero nunca posterior. ☐ V ☐ F

   i. El trino puede empezar por la nota real o por la auxiliar superior o inferior. ☐ V ☐ F

   j. El trino puede llevar notas de preparación y de resolución. ☐ V ☐ F

   k. La duración del trino ha de ser más larga que la de la nota trinada. ☐ V ☐ F

12

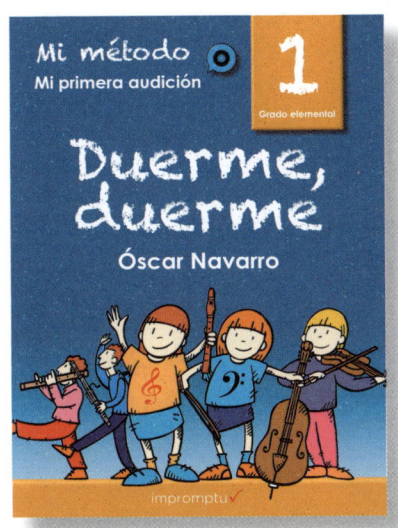

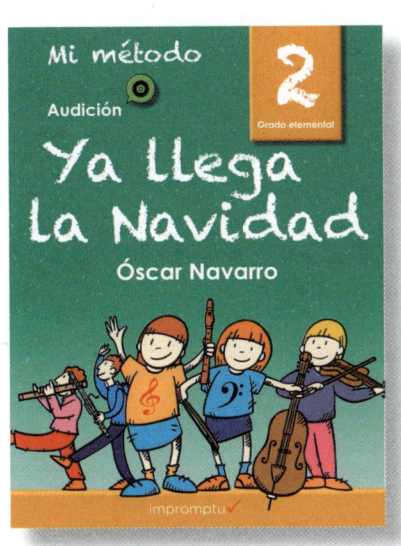

impromptu ✓